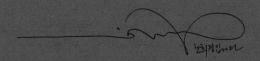

내가 세상을 아름답게 만들 수 있어. 사랑도.

최경임씨다

지금 사랑하지 않는 자,
모두 유죄

지금 사랑하지 않는 자, 모두 유죄

저자_ 노희경

1판 1쇄 발행_ 2008. 12. 15.
1판 89쇄 발행_ 2010. 9. 30.

발행처_ 헤르메스미디어
발행인_ 박은주

등록번호_ 제300-2006-194호
등록일자_ 2006. 4. 27.

서울시 종로구 가회동 17 우편번호 110-260
주문 및 문의 031)955-3100, 팩시밀리 031)955-3111, 편집부 02)3668-3229

값은 뒤표지에 있습니다.
ISBN 978-89-958167-6-9 03810

지금
사랑하지 않는 자,
모두 유죄

노희경 에세이

헤르메스미디어

차례

책을 엮으며 · 8

1 사랑만 하기에 인생은 너무도 버겁다

지금 사랑하지 않는 자, 모두 유죄 · 12

첫사랑에게 바치는 20년 후의 편지 "버려주어 고맙다" · 16

아픔의 기억은 많을수록 좋다 · 26

내 이십대에 벌어진 축복 같은 일 · 34

女子에게 少年은 버겁다 "봄날은 간다" · 40

그들이 사는 세상, 그와 그녀의 이야기 · 47
적(敵) · 설레임과 권력의 상관관계 · 아킬레스건-새로운 사랑을 시작하는
연인들을 위한 몇 가지 제안 · 내가 이해할 수 없는 그녀들의 이야기

② 사랑이 믿음보다 눈물보다 먼저 요구하는 것

부모도 자식의 한이 되더라 · 58

바그다드 카페 · 66

불륜, 나약한 인간에게 찾아든 잔인한 시험 · 73

힘내라, 그대들 – 작가 지망생 여러분에게 · 86

드라마는 왜 꼭 재미있어야 하나 · 92

그들이 사는 세상, 그와 그녀의 이야기 · 101
내겐 너무도 버거운 순정 · 산다는 것 · 드라마처럼 살아라

③ 눈빛 하나로 삶을, 사람을 보듬을 수 있다면

잘 있었나, K양 · 110

노희경이 표민수에게, 표민수가 노희경에게 · 114

윤여정은 눈빛 하나로 삶을 보듬는 사람 · 124

오십에 길을 나선 여자 · 130

배우 나문희에게 길을 물어가다 · 134

친구들에 대한 몇 가지 편견들 · 142

그들이 사는 세상, 그와 그녀의 이야기 · 147
그의 한계 · 화이트아웃 · 중독, 후유증 그리고 혼돈

4 그들이 외로울 때 우리는 무엇을 했나

안부를 묻다 · 158

불량한 피자두의 맛 · 160

아름다운 상상
  – 다시 生을 시작할 수 있다면 못 다한 효도부터 하리라 · 164

〈슬픈 유혹〉을 끝내놓고 · 170

미안한 아버지에게 · 174

다시 가슴이 먹먹해집니다 · 186

그들이 사는 세상, 그와 그녀의 이야기 · 193

절대로 길들여지지 않는 몇 가지 · 통속, 신파, 유치찬란 · 해피엔딩의 역설

함께하는 사람들의 글 · 202

책을 엮으며

단지 산문을 잊지 않으려고, 때론 뭔가를 좀 더 기억하기 위해, 고마움을 전하기 위해, 십 년간 틈틈이 기회가 닿으면 써두었던 것인데 그 산문들이 벌써 책 한 권 분량이 되었다. 책을 낸다고 하고서는 다시 찬찬히 읽어보니, 말도 안 되고 문장도 안 되고 더더욱이나 생각의 깊이란 게 너무도 보잘것없는 것이 수두룩하다. 뺄까 말까 하다가, 그냥 둔다. 어차피 지금 쓴 글들도 시간이 가면 지금처럼 낮간지러울 게 뻔하다. 나이가 들어가며 좋은 게 있다. 험한 말로는 뻔뻔스러움이요, 조금 포장을 하면 어떤 성과도 과오도 시간이 가면 다 별거가 아니라는 걸 깨닫게 되는 것이다.

늘 감독의 등에 업혀, 연기자들의 어깨에 기대, 스태프들의 팔다리를 부여잡고 한 걸음 한 걸음 걸음을 떼다가, 혼자 독백하듯 산문들을 쓰고 정리하다 보니, 다시금 그들의 노고에 감사한 마음이 올라온다. 참 세상 거저 살았다. 산문으로 밥 먹고 살려 했다면 어림도 없는 일이지 싶다.

봉수, 시명, 경희, 을, 시진, 윤아, 나의 조카들에게 이 책을 바친다. 모자란 고모를, 이기적인 이모를, 어설픈 애 같은 고모를, 참 이해심 없는 이모를 보며, 부디 너희들이 봐서 좋은 건 닮고 싫은 건 닮지 말기를 간절히 바라면서.

노희경

①

사랑만 하기에
인생은 너무도 버겁다

우리는 끊임없이
이해받기 위해, 인정받기 위해 살아간다.
때로는 가족들에게,
때로는 오랜 친구들에게,
때로는 이미 지나간 애인에게조차도.
그러나 정작 우리가 이해받고
인정받고 싶은 건 어쩌면,
그 누구도 아닌
나 자신이 아니었을까.

〈굿바이 솔로〉 중에서

지금
사랑하지 않는 자,
모두 유죄

나는 한때 나 자신에 대한 지독한 보호본능에 시달렸다.
사랑을 할 땐 더더욱이 그랬다.
사랑을 하면서도 나 자신이 빠져나갈 틈을
여지없이 만들었던 것이다.
가령, 죽도록 사랑한다거나, 영원히 사랑한다거나,
미치도록 그립다는 말은 하지 않았다.

내게 사랑은 쉽게 변질되는 방부제를 넣지 않은 빵과 같고,
계절처럼 반드시 퇴색하며, 늙은 노인의 하루처럼 지루했다.

책임질 수 없는 말은 하지 말자.
내가 한 말에 대한 책임 때문에 올가미를 쓸 수도 있다.
가볍게 하자, 가볍게.
보고는 싶지라고 말하고, 지금은 사랑해라고 말하고,
변할 수도 있다고 끊임없이 상대와 내게 주입시키자.

그래서 헤어질 땐 울고불고 말고 깔끔하게, 안녕.
나는 그게 옳은 줄 알았다.
그것이 상처받지 않고 상처주지 않는 일이라고 진정 믿었다.

그런데, 어느 날 문득 드는 생각.

너, 그리 살아 정말 행복하느냐?

나는 행복하지 않았다.

죽도록 사랑하지 않았기 때문에 살 만큼만 사랑했고,

영원을 믿지 않았기 때문에 언제나 당장 끝이 났다.

내가 미치도록 그리워하지 않았기 때문에,

아무도 나를 미치게 보고 싶어 하지 않았고,

그래서, 나는 행복하지 않았다.

사랑은 내가 먼저 다 주지 않으면 아무것도 주지 않았다.

버리지 않으면 채워지지 않는 물잔과 같았다.

내가 아는 한 여자,

그 여잔 매번 사랑할 때마다 목숨을 걸었다.

처음엔 자신의 시간을 온통 그에게 내어주고,

그 다음엔 웃음을 미래를 몸을 정신을 주었다.

나는 무모하다 생각했다.

그녀가 그렇게 모든 걸 내어주고 어찌 버틸까, 염려스러웠다.

그런데, 그렇게 저를 다 주고도 그녀는 쓰러지지 않고,

오늘도 해맑게 웃으며 연애를 한다.
나보다 충만하게.

그리고 내게 하는 말.
나를 버리니, 그가 오더라.
그녀는 자신을 버리고 사랑을 얻었는데,
나는 나를 지키느라 나이만 먹었다.

사랑하지 않는 자는 모두 유죄다.

자신에게 사랑받을 대상 하나를 유기했으니
변명의 여지가 없다.
속죄하는 기분으로 이번 겨울도 난 감옥 같은 방에 갇혀,
반성문 같은 글이나 쓰련다.

첫사랑에게 바치는
20년 후의 편지
"버려주어
고맙다"

내 순정에 다쳤을 첫사랑 그대에게.

이제야 그대에 대한 무수한 원망을 내려놓고 비로소 참 많이 미안했었다. 참회할 용기가 난다. 미안하단 그 한마디를 하기 위해 난 왜 그렇게 긴 시간이 필요했을까. 자만이 뿌리 깊었나, 아니다 자기연민이 독했다. 나이가 들면서 늘어가는 건 주름만이 아니다. 살면서 홍역처럼 반드시 거쳐야 할 경험과 남과 별다르지 않게 감당했어야 할 상처들이다. 그러나 그때는 몰랐다. 그대와 주고받았던 모든 것들이 마냥 별스러워 엄살인 줄도 모르고 악을 쓰듯 독하게 콩콩거렸다. 그때 그대는 참으로 냉정했었다. 원망스러웠던 그 순간이 이제야 맞춤맞은 순리였음을 알겠다.

나를 버려주어 고맙다, 그대.

순간 이 글을 쓰며 겁이 난다. 나만큼 설레지 않고 나만큼 애타지 않고 나만큼 절절하지 않은 그대에게 나는 늘 이런 식으로 상처를 주었다. 잘났나봐, 무시하나봐. 그런 직설을 내려놓고, '고맙네, 정말' 웃으며 칼 주는. 꼬여진 실타래처럼 정말 난감하게 엉켜서 그대를 몰아붙였던 한때를 그대여 지금은 떠올리지 마라. 그리하여 이 글을 읽지 않고 서둘러 덮지 마라. 세월이 변하듯 사람도 변한다. 나는 변했다, 그대. 이제 엉킬 기운도 없다. 그냥 있는 그대로 들어라, 고맙다, 정말 버려주어.

그대와 헤어져 20년이 흘렀다.

그 20년의 세월 안에서 나는 정말 뚜렷이 알아차린 것이 있다. 진실이나 사실이란 말은 함부로 써선 안 된다는 것, 모든 기억은 내 편의대로 조작될 수 있다는 것. 하여, 이제 내가 말하려는 우리 둘 사이에 있었던 에피소드는 어쩌면 또다시 나만의 기억일 뿐 그대와는 무관한 어떤 것일 수도 있다. 그러니 혹여 내 서술이 그대의 마음과 아랑곳없더라도 웃으며 봐달라. 이 사람은 이리 생각했었구나 하고.

그대가 나를 일방적으로 버린 스무 살 겨울,
나는 그대를 배신자로 낙인찍었었다.

매일 전화하고 하루걸러 한 번씩 만나고 서로의 속살도 아닌 드러난 살이 스칠 때에도 머리끝까지 삐죽하던 그때, 그대는 돌연 모든 걸 멈추었다. 전화도 받지 않고, 편지해도 답이 없고, 만나도 확연히 시들해했다.

내가 무엇을 잘못했나요?

내 드라마 주인공은 참으로 상대에게 용기 내어 잘도 묻는데 나는 그대에게 묻지 못했다. 내 잘못을 돌아볼 용기가 없었다. 어리석다. 사랑한 대상을 미워할 대상으로 바꿀 오기는 있으면서.

모든 겨울처럼 밤이 깊은 겨울이었다. 며칠째 몇 주째 연락이 안 되던 그대를 찾아 나섰다. 맨발에 슬리퍼를 신고, 얇은 추리닝 바람이었다. 20년간 나는 그때의 내 행색을 다급함이라고 애절함이라고 포장했지만, 이제야 인정한다.

상처주고 싶었다.

나는 이렇게 너보다 순정이 있다. 그런데 너는 나를 버렸다.
그렇다면 무참히 무너져주겠다. 내 옆에 머물러 있어야 할 네
가 기어이 날 그냥 스쳐만 지나가겠다고. 네가 상처준 어린 이
사람을 똑똑히 기억하렴. 나는 눈 오는 그대의 집 앞에서 밤을
새워 오들거렸다. 그대는 이층 창문 너머로 나를 물끄러미 보

다 커튼을 쳤다. 그리고 몇 달 뒤, 그대에게 전화가 왔다.

나는 대학을 갔어.

말해주고 싶었어.

뚝.

그대 목소리는 나에 대한 죄책감으로 작고 의기소침했다.
반면 내 목소리는 얼마나 당찼던가.

잘됐군.

웃음이 난다. 좀 더 나중까지 사랑한 게 뭐 그리 대단한 유
세라고. 이후의 내 행동은 더욱 우스꽝스럽다. 그대랑 헤어지
고 나는 이내 A, B를 만나놓고, 7, 8년 뒤 다시 그대를 만나서
"아직도 가끔 생각이 나"라고 말했던 거 같다. 그때 그대는 참
으로 나를 안쓰럽게 바라보았다. 그리고 자책했었다.

왜 너는 그렇게 순정적인데,
나는 이 모양이냐고,
지금 사랑하는 누군가와도 나는 또 시들해진다고.

나는 기뻤다.

그대가 나랑 헤어져 계속 휘청대서, 그리고 내가 순정적으
로 보여서. 그리고 다시 5, 6년 뒤, 그대를 보았다. 그대는 여

전히 휘청대고 여전히 나에게 미안해하고 여전히 또 누군가와 시들한 상태였다. 그때 나는 이제는 우린 친구야 하며 내가 그대를 극복하고 우정으로 승화시킨 단계를 서술하며 넌 왜 그렇게 살아, 좀 더 다른 방식으로 살 수 없어 하며 훈계하고 의기양양했던 거 같은데 기억하는지. 그리고 다시 5, 6년이 흘러 지금이다.

미안하다, 그대여.

이제야 고백건대, 나는 그대에게 바쳤던 순정을 스무 살 무렵에 이미 접었었다. 그런데 왜 말 안 했냐고? 나는 마음이 변하는 게 큰 죄라 생각했다. 그 어리석은 생각은 참으로 오래 갔다. 그래서 그대를 괴롭히고 그대보다 나를 더욱 괴롭혔다. 그대와 헤어지고 누군가를 다시 만나서도 나는 여전히 그들에게 그대에게 바쳤던 순정만을 내세우며 유치한 대사를 남발했다.

나에겐 네 자리가 없어.

젠장이다.

그러면서 왜 그들과 여행은 가고, 설레는 눈빛을 주고받고, 짜릿하기까지 했었는지.

그때 나는 그런 아이였다.

그대여,

이제 부디 나에 대한 죄책감에서 벗어나라. 사랑에 배신은 없다. 사랑이 거래가 아닌 이상, 둘 중 한 사람이 변하면 자연 그 관계는 깨어져야 옳다. 미안해할 일이 아니다. 마음을 다잡지 못한 게 후회로 남으면 다음 사랑에선 조금 마음을 다잡아볼 일이 있을 뿐, 죄의식은 버려라. 이미 설레지도 아리지도 않은 애인을 어찌 옆에 두겠느냐. 마흔에도 힘든 일을 비리디 비린 스무 살에, 가당치 않은 일이다. 가당해서도 안 될 일이다. 그대의 잘못이 아니었다. 어쩌면 우린 모두 오십보백보다. 더 사랑했다 한들 한 계절 두 계절이고, 일찍 변했다 한들 평생에 견주면 찰나일 뿐이다. 모두 과정이었다. 그러므로 다 괜찮다.

이제 나는 다시 그대와 조우할 날을 기다린다. 그때는 그대와 웃으며 순정을 포장한 가혹한 내 행동들을 맘 아프게가 아닌 웃으며 나눌 수 있길 간절히 바라본다. 만약 볼 수 없다면, 잘 살아라, 그대. 그리고 내 걱정은 하지 마라. 나는 행복하다.

아픔의 기억은

많을수록

좋다

나는 경남 함양 산골에서 가난한 집안의 칠 형제 중 여섯 번째로 태어났다. 내 출생은 그다지 경사스런 일이 아니었다. 뱃으니 낳을 뿐, 기대도 기쁨도 없는 출생이었다. 있는 자식도 하루 세 끼 밥 먹이기가 버거운데, 또다시 자식이라니. 모르긴 몰라도 어머닌 날 낳으시고 우셨을 것이다. 암죽 서말이라고, 젖먹이가 돈이 더 드는 법 아닌가. 하여, 나는 태어나자마자 강보에 싸인 채 윗목에 올려졌다. 군불 닿지 않는 윗목에서 사나흘 있으면 제 스스로 목숨줄이 떨어져 나가 집안의 고단을 덜어줄 거다, 할머닌 우는 어머니를 밀치고 나를 윗목에 놓고는 누구든 애를 건사하면 혼쭐이 날 거다 하셨다 한다.

나는 한겨울 싸늘한 윗목에서 그렇게 보름을 있었다. 그런데도 나는 살아남았다. 기적은 아니었다. 어머니의 사주를 받아 큰언니가 할머니가 밭에 나가고 들에 나간 시간 생쌀을 씹어 내 입에 넣어주었던 것이다.

내 수난은 여기서 끝나지 않는다. 나는 이후 집안이 위태로울 때마다 짐처럼 여겨졌다. 내 기억이 확실하다면 네 살 무렵엔 효창동 주택가에 어머니가 나를 버리고 돌아서신 적도 있었다. 물론 착하고 여린 어머닌 몇 걸음 못 가 나를 다시 끌고 집으로 돌아오셨지만. 그때, 집으로 돌아와 내 등짝을 후려치며 하시던 어머니 말씀이 아직도 귓가에 쟁쟁하다. '에미가 널 버리고 가는데, 어째 울지도 않느냐.'

이후 나는 마치 나를 버리려 했던 가족들에게 복수라도 하듯 정말 지겨우리만치 그들의 속을 썩이기 시작했다. 초등학교 4학년 때 담배를 배우고(물론 들키는 바람에 이내 피울 수 없게 됐다), 고등학교 땐 못 먹는 술을 먹어 병원에 입원까지 하고, 툭하면 사고를 쳐 어머니가 학교에 불려 다니고, 대학은 재수를 하고, 셀 수도 없이 집을 나가 떠돌고.

내가 기억하는 잘못만 이러한데, 내가 기억하지 못하는 잘못들은 또 얼마나 많겠는가. 이런 연고로 나는 사흘들이 '천하에 쓸데없는 계집애'란 말을 들으며 성장했다. 가족들은 물론 친구들조차도 나를 물가에 내놓은 아이처럼 보았다. 오죽했으면 직장에 들어가 첫 월급을 타던 날, 친구가 내 손을 잡고 '네가 사람이 됐구나' 하며 울었겠는가.

그 시절은 이제와 내게 좋은 글감들을 제공한다. 나는 한때 내 성장과정에 회의를 품은 적도 있었지만, 지금은 아니다. 내가 만약 가난을 몰랐다면 인생의 고단을 어찌 알았겠는가.

내가 만약 범생이었다면 낙오자들의 울분을 어찌 말할 수 있었겠으며, 실패 뒤에 어찌 살아남을 수 있었겠는가. 나는 작가에겐 아픈 기억이 많을수록 좋단 생각이다. 아니, 작가가 아니더라도 그 누구에게나 아픈 기억은 필요하다. 내가 아파야 남의 아픔을 알 수 있고, 패배해야 패배자의 마음을 달랠 수 있기 때문이다.

하지만 이런 생각을 갖는 내게도 후회가 없는 것은 아니다. 어머니 살아 계실 때 밥벌이하는 모습이라도 보여드렸다면 좋았을 것을. 지금, 방황하는 사람들, 그대들의 방황은 정녕 옳은 것이다. 그러나, 그대의 어머니가 살아 있는 그 시기 안에서 부디 방황을 멈추라. 아픈 기억이 아무리 삶의 자양분이 된다 해도, 부모에 대한 불효만은 할 게 아니다. 대학 때 가출한 나를 찾아 학교 정문 앞에서 허름한 일상복으로 서 있던 어머니가 언제나 눈에 밟힌다. 그때도 이후에도 왜 난 그분께 미안하단 말 한마디를 못했을까. 바라건대, 그대들은 부디 이런 기억 갖지 마라.

이 글이 나가고 한참 후에 나는 큰언니로부터 충격적인 사실 하나를 얻어들었다. 내 출생 당시의 이야기가 거짓이라는 것이다. 엄마로부터 전해들은 이야기를 쓴 건데, 그럼 엄마가 거짓말을 했다고? 가슴이 쿵했다.

큰언니의 말은 이랬다. 엄마는 당시 자식을 원하지 않았다. 더구나 딸은 더더욱 원하지 않았다. 가난한 살림에, 남편은 애나 만들어주려 집에 들를 뿐 생계는 아랑곳없는 사람인데, 다섯도 모자라 여섯째라니, 것도 자기 팔자 닮을 게 뻔한 계집아이라니.

엄마는 나를 낳아놓고, 칼바람이 돌게 앉아 있다가 나를 윗목에 놓았다 한다. 엄마와 열일곱 살 차이밖에 나지 않는 큰언니와 스물한 살 차이밖에 나지 않는 큰오빠는 그런 엄마가 무서웠다고 한다. 어떻게 제 자식을. 윗목에 놓아 죽이려 하나. 할머니는 그런 엄마를 이해할 수 없다고 악다구니를 쓰셨다 했다. 그러고는 할머니의 사주로 큰언니가 생쌀을 씹어 나를 멕이고, 그래서 연명하는 날 보고 할머니가 엄마에게 간곡히 말했다 한다.

"애가 저리 놓아두어도 아니 죽으니, 그냥 키워라."

가해자가 완전 뒤바뀐 이 끔직한 이야기를, 별로 알아서 좋을 것도 없는 이 이야기를 큰언니는 왜, 무엇 때문에 내게 하는 것일까? 이 사실을 몰랐다면, 전에 전에 엄마에게 내가 깊은 사랑을 받았었구나, 아파도 예쁜 추억 하나 생기는 건데. 이야기를 들은 첫날, 나는 이불 속에서 잠시 혼란스러웠다. 그러나 이내 이렇게 정리가 됐다.

그때 내 어머니의 나이는 서른한 살의 꽃다운 나이. 자식은 여섯에, 남편은 남만 못한 남자. 힘도 들었겠다. 자식이 짐스럽다 못해 원망도 스러웠겠다. 없었으면 천번 만번도 바랐겠다. 굳이 출생 즈음의 이야기는 안 해도 되는 걸 거짓말까지 해가며 나에게 해준 건, 죄의식이었겠다. 너무도 미안해서였겠다. 이후에, 나를 참 예뻐라 했으니, 그것으로 다 됐다.

생각을 이렇게 말끔히 정리하고 잠이 들며 나는 내가 참 컸구나 싶었다. 가만 생각해보면 세상에 이해 못할 게 뭐 그리 많겠나 싶다. 다만 상대의 마음을 잘 알지 못했을 뿐이지. 큰언니의 저의도 이해가 갔다. 내가 너를 살린 거라고. 그렇다. 큰언니는 늘 나를 살렸다. 작은언니도, 큰오빠도, 작은오빠

어른이 된다는 건
상처 받았다는 입장에서
상처 주었다는 입장으로 가는 것.
상처 준 걸 알아챌 때
우리는 비로소 어른이 된다.

노희경

도, 막내언니도 늘 나를 살렸다. 참 예쁜 형제들. 그리고 불쌍
한 울 엄마.

내 이십대에
벌어진
축복 같은 일

청춘이 아름답다는 말이, 새빨간 거짓말인 걸 알게 된 건 서른 중반이 훌쩍 넘어서였다. 그 말을 한 사람은 아마도 이십대에 벌써 푸근하고 짜릿하게 완벽한 애인이 있고, 집안이 유복하며, 하는 일마다 승승장구 잘 풀린 별나도 별난 사람이거나, 청춘에는 청춘이 싫고, 중년에는 중년이 싫고, 노년에는 노년이 싫다고 말하면서 허구한 날 지난날을 그리워하거나, 오지도 않은 날을 기대로 채우는 어리석은 사람일 거라, 나는 단정한다. 단정의 기준은 물론, 내 청춘에 빗대어서다.

십대의 나는 죽고 싶다는 생각과 내 자신이 쓰레기 같다는 생각과 담배를 피우고 싶다는 생각과 미치게 망가지고 싶다는 생각, 그리고 빨리 학교를 탈출하고 싶다는 생각이 전부였다. 그리고 가끔 성실하게 공부 잘하는 친구들과 환하게 웃는 친구들이 부러웠다. 요즘 같이 사는 조카놈들에게 나는 뻑하면 '너는 대체 뭐가 그렇게 불만이라 맨날 입이 댓발이냐?'는 말을 한다. 놈들은 서운하겠지만 나는 그 말을 부모님으로부터 내가 한 것에 열곱절은 들었다.

이십대는 아주 좀 나았다. 일단 담배를 피울 수 있게 됐고, 연애를 하면서 학교를 맘대로 땡땡이치면서 원하는 대로 좀 망가질 수 있었기 때문이다. 그러나 나는 여전히 사는 게 재미없었다. 애인들은 툭하면 내가 싫다고 떠났고, 친구들도 게으른 나를 비웃고, 전공으로 택한 시는 지도교수로부터 대부분 엉망이란 말을 들었다.

곧 사회로 내몰릴 건데, 아버지처럼 무능력자가 될지도 모른다는 공포감에 하루가 멀다고 가위에 눌렸다. 진흙탕을 헤매는 꿈 그러나 악 소리는 나오지 않는, 이와 이가 어긋나게 맞물려 턱이 으스러져라 아픈 꿈, 전쟁이 났는데 가족들을 모두 잃어버리고 어릴 적 심심하게 배회하던 동네를 혼자 울며 걷는 꿈. 꿈마다 악몽이었다.

졸업을 하고, 정말 푼돈을 주는 회사에 들어가서도 나는 여전히 우울했다. 상사가 맘에 안 들고, 동료가 맘에 안 들고, 그게 아니면 회사가 망하고, 그러다 어머니가 위암말기 판정을 받으셨다. 내 나이 스물다섯, 어머니 쉰다섯의 일이다.

나는 아마 그때부터 조금 변하기 시작했던 거 같다. 어머니가 곧 죽게 될 그 시점에. 친구도 안 만나고, 야근도 좀 줄이고, 발병에서 투병에서 임종까지, 나는 대개의 시간을 어머니와 함께했다. 그리고 아마 처음으로 내 자신에게 질문다운 질문을 했던 거 같다.

이제 너는 어떻게 살래?
세상에서 너를 믿어준 단 한 사람이 가는 이 시점에서. 네가 욕했던 아버지처럼밖에 못 사는 지금의 이 시점에서. 때로는 아버지보다 어머니에게 더 잔인했던 너는, 이제 어떻게 살래? 계속 이렇게 살래? 아님 한 번이라도 어머니 맘에 들어보게 살래?

참 울기도 많이 했지만, 그때 알았다. 나는 뭐든 할 수 있을지도 모른다. 적어도 내가 원한다면? 늘, 어머니가 참 간절히 해주셨던 말이 그제야 가슴에 왔다.

"네가 뭘 못해? 하면 하지. 해보고 말해, 해보지도 않고 말로만 말고."

어머니가 돌아가시고 회사를 접고 드라마작가가 되기까지
는 1년 반 남짓밖에, 얼마 걸리지 않았다. 임종의 충격요법이
독했다. 어머니의 임종이 청춘의 방황에 종지부를 찍게 한 축
복이었다고 나를 아는 지기들은 앞 다투어 말한다. 자식 철들
게 한 대가가 너무 크다고도 말한다. 나는 그딴 말 말라고 하
고 싶지만, 그것은 사실이다.

나는 요즘 청춘들에게 이런 말을 자주한다.

"나는 나의 가능성에 대해 잘 알지 못한다."

섣불리 젊은 날의 나처럼 많은 청춘들이 자신을 별 볼일 없
게 취급하는 것을 아는 이유다. 그리고 당부하건대, 해보고
말하는 것이 중요하지만, 해도 안 되는 것이 있는 게 인생임
도 알았음 한다.
　근데 그 어떤 것이 안 된다고 해서 인생이 어떻게 되는 것
은 또 아니란 것도 알았음 싶다. 매번 참 괜찮은 작품을 쓰고
싶고, 평가도 괜찮게 받고 싶어 나는 애쓰지만, 대부분 내 기
대는 허물어진다. 그런데 나는 100퍼센트는 아니지만, 70퍼

센트는 괜찮다고 생각한다. 뭐 어쨌건 밥은 먹고 사니까. 그리고 그 순간엔 나름 최선을 다했다고 생각하니까. 자기합리화라 해도 뭐 어쩌겠는가. 자기학대보단 낫지 않은가.

女子에게
少年은 버겁다
"봄날은 간다"

아직도 십 센티는 더 클 것 같은 소년 유지태가 이제는 사랑을 조롱할 수도 있을 만큼 농익을 대로 농익은 여자 이영애와 커플이 되어서 러브스토리를 들려준다는 것이 처음부터 나는 억지스럽다고 생각했다. 어울리지 않을 것 같았다. 그리고 내 예상은 적중했다. 둘은 헤어졌다. 다행이다.

한때는 상우처럼. 지금은 은수처럼.

이제는 기억도 아련한 첫사랑의 열병을 앓았던 때 나는 더도 말고 덜도 말고 꼭 영화의 상우 같았었다. 그처럼 유머를 모르고 눈치 없고, 맹목적이고 답답했었다. 지금도 또렷이 기억나는 장면 하나. 눈 오는 날 추리닝에 맨발에 슬리퍼를 신고 그의 집 창문 앞에서 오기를 부리며 떨고 있던 내 모습. 그때 내가 사랑했던 사람도 은수처럼 표독(?)했었다. 꽁꽁 언 발을 번연히 보면서도 그는 끝끝내 제 방으로 나를 이끌지 않았다. 이별에 대한 선전포고를 이미 했으니 그 뒤의 감정수습은 모두 내 몫이라는 투였다. 당시엔 그 상황이 너무도 서러워 코끝이 빨개지게 울었었는데, 이제 그 추억은 그냥 멋쩍을 뿐이다.

인생을 살면서 절대 잊혀질 것 같지 않은 장면들이 잊혀지고, 절대 용서될 것 같지 않은 일들이 용서되면서 우리는 여자로 혹은 남자로 성장한다. 누구는 그러한 성장을 성숙이라고도 하고 타락이라고도 말한다. 그러나 나는 다만 과정이라고 말하고 싶다.

하루에도 열두 번씩 무조건 어른이 되고 싶던 비린 미성년 시절. 나는 찐한 사랑 한 번에 여자가 될 줄 알았었고 실연은 절대로 안 당할 줄 알았었다. 이제는 그런 내 바람들이 당치 않은 기대였던 것을 안다. 사람들은 언제나 당면한 입장에 서서 상황을 이해하는 생리가 있다. 상우의 나이를 지나 은수의 나이에 서니, 상우보단 은수가 이해되는 것도 그런 의미에서 순리다.

"라면이나 먹자" "자고 갈래"라고 노골적으로 유혹하는 은수의 말을 이해 못하고 정말 라면이나 먹고, 잠이나 자는 상우는 어쩌면 처음부터 은수에겐 버겁게 순수한 남자였는지도 모른다. 조금은 날긋하게 닳은 여자에게 순수는 반갑지 않다. 순수가 사랑을 얼마나 방해하는지 모르는 사람만이 순수를 동경한다. 사랑이 운명이나 숙명이 아닌 일상의 연장선에 있

지금 사랑하지 않는 자, 모두 유죄

다고 믿는 대개의 경험 있는 사람에겐(사랑의 열정을 몇 번씩 반복해서 느껴본 사람) 순수는 정돈된 일상을 방해하고 그로 인해 사랑을 좀슬게 한다. 상우의 순수가 은수의 일상을 방해하고 사랑을 버겁게 느끼게 하는 요소는 곳곳에 있다.

늦잠을 자고 싶은데 상우는 제가 한 밥을 먹으라고 재촉하고, 다음날 출근을 해야 하는데 새벽녘 서울에서 강릉길을 한달음에 달려와 포옹을 요구하며, 정식으로 약속을 하고 찾아와도 안 만나줄 판에 술 취해 급작스레 찾아와 철문을 두드리고 소리를 지른다. 게다가 엉엉대며 울기까지. 그 대목에 이르면 은수가 아닌 제삼자의 입장에서도 은근슬쩍 짜증이 인다. 저만 아프고 저만 힘들지. 어린 남자는 그렇게 이기적이다.

사랑만 하기에 인생은 너무도 버겁다.

다수의 사람들은 은수가 상우를 선택하지 않은 것이 현실적인 가치 기준의 잣대에 의한 것이라고 생각하는 모양이다. 박봉에 초라한 개량 한옥에서 사는 홀시아버지와 매서운 시고

모를 옆에 두고 치매를 앓는 할머니를 모셔야만 하는, 정말 누가 봐도 최악의 결혼조건을 가진 그 남자와 연애는 몰라도 결혼은 절대 할 수 없다는 계산이 은수에게 있었다고 말한다.

나는 그 이유에 반박한다.

은수는 그 남자의 처지보다 순수가 버거웠을 것이다. 사랑이 변하고, 권태가 일상이 되고, 키스도 무료해지고, 생계가 치명적인 걸 이미 아는 여자에게 사랑만이 전부인 남자는 부담스러웠을 뿐이다. 이제 이 나이에 "사랑이… 어떻게 변하니?"라고 상우처럼 묻는 남자가 내게 온다면, 나 역시 은수처럼 당연히 그 남자를 피해갈 것이다. 아직도 사랑이 안 변한다고 사랑이 전부라고(직장마저 그만둘 만큼) 생각하는 남자와 격한 인생의 긴 여정을 어찌 헤쳐 나가겠는가. 은수와 상우의 결별은 그런 의미에서 너무도 다행한 일이다.

드라마를 하는 사람의 입장에서 보면, 이즈음 한국영화의 눈부신 발전은 그다지 반갑지 않은 일이다. 안 그래도 적은 배우진이 너도나도 영화를 한다고 다 빠져나갔기 때문이다.

기원해서 될 일이라면 한국영화의 추락을 두 손 모아 기원이라도 할 판이다. 그런 내 기원을 영화 〈봄날은 간다〉는 무참히 만든다. 드라마가 살 길은 영화의 추락이 아니라 드라마의 발전밖에는 없다는 결론이 씁쓸하게 나를 채찍질한다.

그들이 사는 세상

그와 그녀의 이야기

〈그들이 사는 세상〉 속에서
나눈 그 '지오'와
그녀 '준영'의 이야기입니다.

적敵

지금 내 옆의 동지가 한순간에 적이 되는 순간이 있다.
적이 분명한 적일 때, 그것은 결코 위험한 일이 아니다.
그러나, 동지인지 적인지 분간이 안 될 때, 얘기는 심각해진다.
서로가 의도하지 않았어도 그런 순간이 올 때,
과연 우리는 어떻게 대응해야 될까?
그걸 알 수 있다면 우린 이미 프로다.

지금 내 옆의 동지가 한순간에 적이 되는 때가 있다.
그리고 그 적은 언제든 다시 동지가 될 수 있다.
그건 별로 어려운 일은 아니다.
그런데 이때 기대는 금물이다.
그리고, 진짜 중요한 건 지금 그 상대가
적이다, 동지다 쉽게 단정 짓지 않는 것이다.
그리고 한 번쯤은 진지하게 상대가 아닌
자신에게 물어볼 일이다.

나는 누구의 적이었던 적은 없는지.

한 감독이 생애 최고의 대본을 받았다.
한 남자는 오늘 첫 취업 소식을 들었다.
한 남자는 내일 꿈에도 그리던 드라마국으로 돌아간다.
그러나, 이렇게 일이 주는 설레임이
한순간에 무너질 때가 있다,
바로 권력을 만났을 때다.

사랑도 예외는 아니다.
서로가 서로에게 강자이거나 약자라고 생각할 때,
사랑의 설레임은 물론 사랑마저 끝이 난다.
이 세상에 권력의 구조가 끼어들지 않는 순수한 관계가
과연 존재할 수 있을까?
설레임이 설레임으로만 오래도록 남아 있는
그런 관계가 과연 있기는 한 걸까?
아직은 모를 일이다.

일을 하는 관계에서 설레임을 오래 유지시키려면

권력의 관계가 없다는 걸 깨달아야 한다.
서로가 서로에게 강자이거나 약자가 아닌,
오직 함께 일을 해나가는 동료임을 알 때,
설레임은 지속될 수 있다.

그리고 때론 설레임이 무너지고,
두려움으로 변질되는 것조차
과정임을 아는 것도 중요한 일이다.

미치게 설레이던 첫사랑이
마냥 맘을 아프게만 하고 끝이 났다.
그렇다면 이젠 설레임 같은 건 별것 아니라고,
그것도 한때라고 생각할 수 있을 만큼 철이 들 만도 한데,
나는 또다시 어리석게 가슴이 뛴다.

그래도 성급해선 안 된다.

지금 이 순간, 내가 할 일은,

지난 사랑에 대한 충분한 반성이다.

그리고 그렇게 반성의 시간이 끝나면,

한동안은 자신을 혼자 버려둘 일이다.

그게 한없이 지루하고 고단하더라도, 그래야만 한다.

그것이 지나간 사랑에 대한,

다시 시작할 사랑에 대한 최소한의 예의일지도 모른다.

아킬레스건 – 새로운 사랑을 시작하는 연인들을 위한 몇 가지 제안

[그녀의 이야기]

내 유년시절의 확실한 아킬레스건은 엄마였다.

화투를 치고, 춤을 추고, 다른 남자를 만나는.

그러면서도 엄마는 아버지 앞에선

언제나 현모양처인 양 이중적인 모습을 보였다.

그때 나의 꿈은 엄마를 탈출하는 것이었다.

그 꿈은 다행히 대학을 들어가면서 쉽게 이뤄졌다.

내 인생의 암흑기라 할 수 있는 조감독 때 나의 아킬레스건은

조금이라도 잘 나가는 모든 동료와,

그 외 나에게 수시로 태클을 거는 세상 모든 것이었다.

그리고, 감독이 된 이후의 나의 아킬레스건은

모든 감독들처럼 단연 시청률이다.

지금 이 새로운 사랑을 시작하는 시점에서 나의 아킬레스건은

인정하기 싫지만, 내가 너무

사랑을 정리하는 것도, 사랑을 시작하는 것도,

쉬운 애라는 거다.

하지만, 이 순간 그것보다 더 중요한 건,
내가 이 사랑을 더는 쉽게 끝내고 싶지 않다는 거다.

그렇다면 이제부터 나는 어떻게 해야 되는 것일까?
지난날처럼 쉽게 오해하지 않고,
쉽게 포기하지 않고,
지루하더라도 다시 그와 긴 이야기를 시작한다면
이번 사랑은 결코 지난 사랑과 같지 않을 수 있을까?

새로운 사랑은 지난 사랑을 잘 정리할 수 있을 때에만
시작할 수 있다고 한다.
하지만 나는 그에게 마지막 인사를 하지 않았다.

다만, 고맙다고 했다.

아마도 그는 그로 인해 내가 얼마나 많이 성숙했는지
알지 못할 것이다.

[그의 이야기]

감독에게 있어서 새 작품을 만난다는 건,

한 번도 가보지 않은 새로운 세계를 만나는 것만큼이나

두려운 일이다.

그러나 그 두려움의 실체를 찾아내 직면하지 않으면,

작품은 시작부터 실패다.

왜 이 작품을 반드시 해야만 하는지,

내가 찍어내는 캐릭터들은

어떤 삶의 가치관을 가지고 살아가는지,

왜 외로운지,

왜 깊은 잠을 못 자고 설치는지,

사랑 이야기를 할 땐 캐릭터들의 성적 취향까지도

고민해야 한다.

시청자들이야 별 볼일 없는 드라마라고 생각할 수 있겠지만

적어도 작품을 만드는 우리에게 작품 속 캐릭터는

때론 나 자신이거나,

내 형제,

내 친구,
내 주변 누군가와 다름없기 때문이다.

그리고 고민이 끝날 쯤 비로소 우린
새로운 사랑을 시작하는 연인들처럼
새로운 작품에 온몸을 던질 준비를 마치게 된다.

감독이 작품 속의 캐릭터를 완벽하게 이해했다고 자만할 때
작품은 본궤도를 잃고 방황하게 된다.
어쩌면 우리의 일상도 마찬가지다.
내 앞의 상대를 다 안다고 생각한 그 순간
뒤통수를 맞는 일이 일어나고 만다. 지금처럼.

누나는 엄마가 단 한순간도 이해되지 않은 적이 없다고 한다.
그러나, 나는 세상 그 누구보다 엄마를 이해할 수가 없다.
아니, 이해하고 싶지도 않다. 다만 내가 바라는 건,
그녀가 내 곁에 아주 오래오래 머물러주었으면 하는 것.

이상하다.

'당신을 이해할 수 없어.'
이 말은 엊그제까지만 해도 내게 상당히 부정적인 의미였는데,
절대 이해할 수 없는 준영일 안고 있는 지금은
그 말이 참 매력적이란 생각이 든다.
이해할 수 없기 때문에 우린 더 이야기할 수 있고,
이해할 수 없기 때문에 우린 지금 몸 안의 온 감각을
곤두세워야만 한다.

이해하기 때문에 사랑하는 건 아니구나.

또 하나 배워간다.

사랑이 믿음보다 눈물보다
먼저 요구하는 것

살아 있는 동안 너는 나만 사랑한다고
나는 너만 사랑한다고 맹세할 때,
난 신이 가장 무서운 존재인 줄 알았어.
그런데 아니야.
세상에서 가장 위험하고 무서운 건
사람 마음이야.
신 앞에서 한 맹세도
마음 한번 바꿔 먹으니까 아무 것도 아니잖아.

〈거짓말〉 중에서

부모도
자식의
한이 되더라

어머니가 돌아가시기 전, 나는 그녀가 내 한이 되리라고는 미처 상상하지 못했었다. 그러나 그 시절, 분명 나는 그녀의 한이었을 것이다.

내 어머니는 순하디 순한 분이셨다. 그 순함이 정도를 지나쳐 아마도 모르는 사람이 그녀를 봤다면 조금 모자란다 하였을 것이다. 그녀는 젊어서는 자식들 잡기를 쥐 잡듯하여, 제 성질을 못 이기더니, 오십 줄에 접어들면서부터는 희한하게도 갑작스레 흰머리가 늘고 주름이 지는 상늙은이가 되더니만, 싫고 좋고도 없는 마냥 무골인이 되었다.

그런 그녀의 변화를 두고 자식들은 저마다 의견이 분분했지만, 결론은 극악한 삶의 고통이 그녀를 지치게 하지 않았겠느냐 그리 맺었다. 오십에 그렇게 기운이 쇠하기 시작한 그녀는, 이후 누가 막말을 해도 성을 안 내고, 누가 옆에서 까무러쳐도 별 관심을 보이지 않더니 오십 중반에 덜컥 암에 걸렸다. 그리곤 별로 내색도 않더니만 1년 반의 짧은 투병 기간에도 자식들이 헉헉대자, 3일간 혼수상태로 있다가 날 좋은 날 가볍게 눈을 감았다.

나는 지금도 임종 때의 그녀를 기억한다.

그녀는 편하게 웃지도, 고통스럽게 보채지도 않고 아주 건
조하게 돌아가셨다. 그녀가 저 세상으로 간 지 이제 5년. 우리
의 이별은 아름답지도 않았고, 슬프지도 않았다. 나는 그때
어머니의 장례를 치르며 오직 한 생각뿐이었다. 모든 의식이
어서 끝나고 잠이나 실컷 잤으면, 잠이나 실컷 잤으면 그 생
각뿐이었다.

나는 어머니를 사랑했다. 지금도 나는 어머니를 사랑한다.

'죽은 자를 사랑하지 마라. 죽은 자 맘 아파 이승 문턱 못
넘을라.'

내가 매일 어머니를 부여잡고 놓지 않는다는 걸 알고, 한 스
님이 내게 이런 식으로 충고하셨다. 그 충고에 나는 옳다구나
싶었다.

'그래, 가지 마라. 어머니 저승에 가지 마라.

넋이라도 이승에 남아 나랑 먹고 놀자. 나랑 먹고 놀자.'

누구는 내 말이 말이 안 된다 할 것이다. 제 어미 죽는 날 그
리 잠만 밝혔다며, 사랑한다는 건 뭐고, 저승까지 가지 말라

니 그건 또 무슨 말인가? 그렇다. 이건 분명 말이 아니다. 그러나 나는 정말 그랬다.

나는 술도 안 마시면서 곧잘 했던 말을 또 하고 했던 말을 또 하는 못된 버릇이 있다. 어머니가 돌아가시고 난 다음 그 버릇은 더욱 중증이 되었다. 내 지기들은 모두 열댓 번씩 들은 말을 나는 지금 또 하려 한다.

어머니 돌아가시기 한 열흘 남짓 전의 일이다. 그날은 토요일이었다. 그날 나는 일찍 퇴근해 어머니와 아버지, 그리고 지금은 우리 집의 수양딸이 된 고아 친구 향이와 성남문화회관에서 하는 공옥진 여사 공연을 보러 갔었다. 어머니 생전에 처음 하는 공연 구경이었고(참말이다. 물론 동네 약장수 구경은 한 적이 있었지만, 일금 만 원짜리 공연 구경은 처음이었다), 내 생전에 어머니와 같이 본 처음이자 마지막 공연이었다.
우리는 그 공연을 참 즐겁게 봤다. 분수에 안 맞게 택시를 타고, 분수에 안 맞게 공연 도중 걷는 불우이웃돕기 성금을 만 원씩이나 내면서, 분수에 안 맞게 호탕하게 웃어젖혔다.
그때가 기억난다. 나는 그냥 웃는데, 내 어머니 구경하는 모

습이 가관이었다. 아이처럼 눈을 동그랗게 뜨고, 남들 웃는 대목에서 괜스레 눈이 붉어지며 박수를 치는데, 그 소리가 정말 우렁찼다. 그때 나는 스스로를 대견하게 생각하면서, 그래도 내가 참 효녀짓을 했구나 싶었다.

우리는 공연 구경을 다 하고, 오천 원이나 하는 공옥진 목각을 사고 일식집으로 갔다. 부모님을 대접하는 첫 자리였다. 참, 일식집에 가기 전, 내 호의가 과했는지 아버지는 한사코 집에서 밥 먹지 돈 주고 밥을 왜 사먹느냐 했고, 어머니는 우리 막내딸이 뭘 사줄까 보자며 선뜻 가자 했다.

속없는 어머니.

사실, 그 즈음 내 주머니는 허당이었다. 그러나 한번 한 말을 도로 담아 넣을 수는 없는 일, 나는 일식집 문을 너무도 당당하게 열어젖혔다. 그리고 주문을 했는데, 알탕에 생선초밥, 그게 전부였다. 음식이 나오고, 빈약한 상차림에 스스로가 멋쩍어 나는 서둘러 먹자 하고 먼저 수저를 들었다. 그런데, 한참을 아버지와 나, 그리고 향이가 수저질을 하는데도 어머니는 도통 가만히만 계셨다. 음식이 마음에 안 드시나 싶었다. 다른 걸 시켜 드릴까 싶었다. 상차림이 민망해 어머니 얼굴을 못 보고, 나는 그리만 생각했었다. 그러다 용기를 내어 어머니 얼굴을 봤는데, 그 눈을 봤는데 눈물이 그렁해 울고 계셨다. 눈물이 날 만큼 좋으셨던 것이다.

'내가 언제 이런 사랑 받아나 봤겠니.'

내 어머니는 그렇게 싸구려 효도에도 감동하는 그런 분이었다. 나는 지금도 그때 일을 두고두고 못 잊는다. 내 얼마나 그녀 알기를 소홀히 했던가.

참 묘하다.
살아서는 어머니가 그냥 어머니더니,
그 이상은 아니더니,
돌아가시고 나니 그녀가
내 인생의 전부였다는 생각이 든다.

그래도 그녀 없이 세상이 살아지니 참 묘하다.

지금 사랑하지 않는 자, 모두 유죄

드라마 〈세상에서 가장 아름다운 이별〉은 픽션이다. 내 아버지는 의사도 아니요, 난 연수처럼 고분고분한 딸도 아니었다. 그러나 난 이 글을 쓰며 참 많이 울었다. 드라마 속의 김인희, 그녀는 내 어머니에 다름 아니었기 때문이다. 나는 이 글을 쓰며 내가 그녀의 못난 한이었듯, 그녀 역시 이제 와 내겐 다 못한 사랑의 한이 된다는 걸 알았다.

나는 바란다.
내세에 다시 그녀를 만난다면,
다시 그녀의 막내딸이 된다면,
더 바랄 것이 없겠다.

내가 그녀를 사랑했다는 걸, 목숨처럼 사랑했다는 걸 그녀는 알았을까. 초상을 치르면서는 잠만 잤어도, 지금까지 숱한 날들을, 그녀로 인해 울음 운다는 걸 그녀는 알까.

제발 몰라라. 제발 몰라라.

바그다드
카페

1993년 겨울, 나는 본가를 나와 불광동 허름한 다세대주택가의 반지하방에 살고 있었다. 말이 좋아 원룸이지 주방과 거실, 화장실이 열 평 남짓한 공간에 기하학적으로 배치되어 있는 그 집에 돈 주고 산 거라고는 대학 선배가 선심 쓰듯 10만 원에 넘겨준 부피 큰 워드프로세서가 전부였다. 집 안 구석구석에 자리한 다섯 칸짜리 서랍장과 자개 장식장, 스테인리스 옷걸이 등은 모두 길가에 버려진 이삿짐 속에서 동생과 내가 건진 것들이었다. 방 안에 놓인 살림살이보다 더 궁상스러운 건 내 처지였다. 출판사를 그만두고 홧김에 떠난 여행에서 퇴직금은 바닥이 났고, 다시 집으로 돌아와 방송작가원의 작가 수업을 받기 위해선 단돈 60만원도 은행대출을 받아야 했다.

결단이 필요했다. 다시 직장을 구해 나가든지, 하루라도 빨리 데뷔를 해 원고료를 타든지. 사는 게 하루하루 절체절명의 순간 같았던 그 시절, 나는 영화 〈바그다드 카페〉를 만났다.

그때, 내 일주일 용돈은 2만 원이었다. 그 2만 원을 알차게 쓰기 위해 하루에도 몇 번씩 조악한 가계부를 써야 했다. 외출지는 작가연수원이 있는 여의도로 한정 짓고, 버스 값과 커피 값만을 쓰기 위해 저녁이면 부리나케 집으로 향했다. 남아도는 게 시간뿐인지라 책보는 게 일인데, 책장 넘어가는 소리가 돈 쏟아붓는 소리 같았다. 그래서 궁여지책으로 생각해낸 것이 책대여점에서 한물간 책들을 헐값에 사보는 것이었다. 헌책이라도 근간의 것들이 많아 책값의 절반은 물어야 했다. 일주일의 단 한 번 외출과 헌책 두세 권을 사고, 손에 남겨진 돈은 고작해야 2천 원에서 4천 원. 영화관 관람은 엄두도 내지 못하고, 비디오만이 여가생활을 즐길 수 있는 유일한 수단이었다.

비디오테이프를 고를 땐 신중의 신중을 기했다. 자칫 비디오테이프 선택을 잘못하면 일주일의 여가생활이 엉망이 되기 때문이다. 그래서 생긴 버릇이 남들의 입을 통하든, 책자를 통하든 몇 번씩 좋다고 검증된 비디오테이프만을 선별해 보는 것이었다. 〈바그다드 카페〉 역시, 그렇게 선별된 비디오테이프였다.

영화의 처음은 기대와 달리 실망스러웠다. 주인공 백인여자는 보기에도 부담스러울 만큼 크고 둔했으며, 다른 주인공으로 보이는 흑인여자는 눈이 무섭게 번들거리는 데다 신경질적이었다. 영화는 야스민이 커피 없는 바그다드 카페로 오고,

오고 나서도 한참을 스토리 없이 흘러갔다. 야스민은 몇 번이고 '문츠크테트너 부인'이라는 어려운 제 이름을 카페 주인 브렌다에게 알리려 했고, 브렌다는 손님인 그녀에게 이유 없이 불친절했다. 브렌다의 남편 살은 사소한 말다툼을 빌미잡아 집을 나갔고, 브렌다의 아들과 딸은 속 터지게 제 어미 말을 듣지 않았다. 카우보이 차림의 쿡스는 일없이 실실 웃어 괜히 보는 이의 비위를 긁었고, 문신을 새기는 여자는 누구에게도 이름이 불려지지 않은 채 말없이 서성이기만 했다. 게다가 커피도 못 끓이는 바텐더는 왜 거기 있는 건지.

　그런데 그 와중에 눈길을 끄는 장면이 있었다. 야스민이 1호 방으로 와서 하던 그 행동. 그녀는 단순히 하루 기거할 여인숙에서 제 집처럼 빨래를 하고 청소를 하고, 장식을 했다. 먼지가 폴폴 나는 마룻바닥을 무릎까지 꿇고 정성스레 걸레질하던 그녀가 난 왜 그렇게 뭉클했을까. 이후, 장기투숙자로 바뀐 야스민의 별난 행동은 계속된다. 카페의 간판을 닦고, 사무실을 정리하고, 주방을 치우고, 아무도 안아주지 않아 울기만 하던 브렌다의 손자를 어르고, 쿵쾅거리며 화음이 안 맞는 건반을 쉼 없이 두드리던 브렌다의 아들의 음악을 감상해주는.

브렌다는 그런 야스민의 행동이 부담스러웠다. 누구에게도 호의를 받아보지 못한 브렌다의 눈에 야스민의 친절은 일상을 뒤흔드는 위협이었다. 어느 날, 브렌다는 야스민에게 거두절미하고 떠나라 소리친다. 그때, 브렌다의 그 고함 뒤에 야스민이 한 대답을 나는 지금도 기억한다.

브렌다 : 당신이 뭔데, 내 아이들과 어울리고, 내 집을 청소해!
야스민 : (머뭇대며) ⋯. 나는 그냥 당신이 좋아할 거 같아서⋯.

야스민은 누군가를 기분 좋게 하고 싶었던 것이다. 아무런 죄의식 없이 코카인을 흡입하고 운전 도중에도 술병을 불어대던, '삶을 장난같이' 사는 자신의 남편에겐 매몰찬 눈빛과 뺨세례를 날렸으면서도, 도망간 남편을 둔, 반사막의 모래바람 속에서 거친 트럭운전사들에 의해 생계를 꾸려가는 '삶을 전쟁같이' 사는 브렌다에겐 그녀는 한없이 너그럽고 싶었던 것이다.

내가 즐겁고 싶어서가 아니라, 남이 즐거운 모습을 보기 위해 마술을 익히고, 쇼를 하고, 모델이 된 야스민. 남을 웃기려다 끝내 자신마저 즐거워져버린 야스민. 나는 그녀가 너무 예뼈서 그 밤 울어버렸다.

방영시간을 맞추기 위해 긴 밤을 하얗게 지새우길 수십 수
백 날. 내 작품 때문에 지금까진 아무도 행복하지 않지만, 나
는 야스민 같은 노력을 멈추진 않겠다. 야스민이 떠나고 그
잘 날던 부메랑도 추락하고, 사람들 모두 다시 사는 게 시들
해졌다. 과한 바람일까. 내 드라마가 없는 날, 바그다드 카페
의 사람들이 야스민을 기다리듯 사람들이 나를 기다리게 할
수만 있다면, 더는 바랄 것이 없겠다.

불륜,

나약한 인간에게 찾아든

잔인한 시험

리첸(장만옥)이 걷는다. 다른 한 방향에서 차우(양조위)가 걸어 나와 리첸을 느리게 스쳐 지나간다. 분명 찰나일 그 순간이 의도적인 느린 속도로 보여진다. 주시하지 않아도, 곳곳에 느림이 있다. 카메라가 느리고, 그들의 걸음이 느리고, 주변의 공기가 느리고, 전개가 느리다. 감독은 계속 느린 화면을 보여주면서 놓치지 말기를 강요하고 서둘러 보지 않기를 강요한다. 느린 화면은 간혹 정지화면과도 같게 느껴진다. 계속된 그 느림 속에서 우리가 본 건 그녀, 그일 뿐 아무것도 없다. 좁은 집의 구조도, 그곳을 장식했던 구조물들도 떠오르지 않는다. 마냥 남자와 여자가 서 있거나 앉아 있거나 걷거나 했을 뿐이다.

왕가위의 느림에는 이유가 있다.

사랑이 모든 걸 지배하던 시절이 있었다. 온몸의 촉수가 그를 향해 있던 안타까운 그 시절엔 그가 없는 공간에서도 그의 주시를 받는 것처럼 모든 게 조심스러웠다. 그의 앞에서 눈물을 보인 날은 다른 사람 앞에서도 웃음이 나지 않아 묵묵부답 입을 닫았었다. 그때, 그 지독스런, 견딜 수 없을 만큼의 예민함이 왕가위의 〈화양연화〉를 보는 내내 되살아났다. 하여, 나도 모르게 자꾸 숨이 죽여지고 마른침이 삼켜지고, 아팠다. 사랑이 믿음보다 눈물보다 먼저 요구하는 것, 그것은 대상에 대한 끊임없는 관찰과 예민함이다. 그 예민함과 관찰은 실제의 시간보다 그 시간의 시간을 훨씬 느리고 길게 한다. 왕가위는 그것을 잡아내고 있다.

지금 그가 뒤에 있다, 섣부르게 휘청이지 말자.

리첸은 흙탕길을 하이힐로 걸으면서도 물이 튀지 않게 한다. 좁은 골목 그들이 앞뒤에서 걸었던 시간은 분명 찰나일 것인데, 온몸의 촉수가 그 시간을 마냥 늘어뜨린다. 차우는 고개를 숙인 듯해도 리첸의 걸음걸이를 보았을 것이고, 말하지 않아도 앞서 걷는 리첸의 불안을 느꼈을 것이다. 제자리걸음을 한 것처럼 현실적인 시간과 상관없이 그들은 오래 그 골목을 걷고 또 걸은 것처럼 지쳐 있다.

말하지 않아도 공기로 느끼고, 표현하지 않아도 마음이 움직여 모든 것을 살아나게 한다. 찰나의 시간이 영원 같던 경험은 사랑의 기억 속 어디에서든 쉽게 찾을 수 있다. 대수롭

지금 사랑하지 않는 자, 모두 유죄

지 않는 전화통화가 이어지다 잠시 그가 말을 멈출 때, 내가 그를 언짢게 한 건 아닌가, 그럴 마음은 없었는데, 그렇게 괜한 자괴(?)의 미궁으로 빠져들던 그 초조의 몇 초 몇 분은 분명 찰나가 아니었다. 우리가 차우의 담배연기, 리첸의 작은 웃음, 차우의 하얀 와이셔츠와 반지르르한 검은 머리, 리첸의 홍콩식 드레스와 마른 손가락, 그 사사로운 것들을, 누가 누구를 사랑했느냐 안 했느냐, 그가 그녀를 안았느냐 말았느냐보다 먼저 기억하는 것은 모두 예민함과 관찰에 주안점을 둔 왕가위 때문이다. 사랑하는 대상, 그와 그녀를 통해서만 자기확인이 가능한 사랑의 독선 때문이다.

왕가위는 틀렸다, 추억이라고 모두 잊혀지진 않는다.

리첸과 차우가 외출을 하고 온 날, 그들은 차 속에서 이런 말을 한다. 누가 우리를 볼지 모른다. 따로따로 가자. 그 말에 아무런 이의 없이 차우가 내리고, 리첸이 간다. 그러나 차가 떠난 골목 어귀엔 도시에 흔한 도둑고양이 한 마리조차 지나가지 않는다. 다른 남자의 아내를, 다른 여자의 남편을 사랑하는 데는 그만큼 철두철미한 외부에 대한 시선이 경계물로 남아 있다. 이렇듯 남의 시선을 의식하는 한 그들은 절대로 결백할 수 없는 처지임에도 불구하고, 그들은 계속해 결백을 주장한다.

리첸 : 사람들이 우릴 볼지도 몰라요.
차우 : 그러면 어때요, 우린 결백한데.

무엇이 결백하다는 것일까. 그가 그녀를 쓰러뜨리지 않는 것, 그들이 만나서 키득거리지 않고 만지지 않은 것, 피치 못할 사정을 제외하곤 서로가 한 방에 있지 않은 것, 서로가 한 방에 있으면서도 욕정에 휘둘리지 않는 것, 상대에게 가슴에 맺힐 말, 사랑한다는 고백을 절대로 하지 않는 것. 도대체 그들은 뭐가 결백하다는 것일까. 차우가 회사에 남아 혼자 담배를 피울 때, 우리는 그가 분명 옆집 여자 리첸을 사모함을 안다. 리첸이 흑임자죽을 끓여 그에게 들고 갈 때, 우리는 그 행동이 아픈 옆집 남자에 대한 동정이 아닌, 그리움인 것도 안다. 그렇다면 그들은 분명코 결백하지 않다.

마음을 스쳐가는, 단순한 떨림 그 정도는 용서할 수 있는 사회의 관습에 기대서 그들은 동정을 요구한다. 우리를 용서하소서.

영화를 보는 내내 차우의 아내가, 리첸의 남편이 부러워짐은 리첸과 차우의 고뇌가 너무도 안쓰러운 때문이었다. 아무도 보지 않는데 차우는 왜 리첸을 안아주지 않는 걸까. 아무도 듣지 않는데 사랑한다는 그 흔한 고백 한번 하면 어때서…. 마지막 영화의 자막처럼 모두 다 지워지고 사라질 추억이면 그 순간 최선을 다해 서로에게 표현해도 상처는 안 될 것인데. 여기에 왕가위의 잘못된 해석이 있다.

왕가위가 자막에 쓴 문구대로라면 이들은 누구에게나(?) 적용되는 망각의 강에 다다르는 것처럼 보인다. 그래서 누구는 앙코르와트 사원의 한 기둥에 차우가 입을 대고 한 말이 '잊어지더라, 혹은 슬픔도 지나가더라'라고 해석한다. 분명 왕가위의 자막에 그 뜻의 해석을 의지한다면 가능한 이야기다. 그런데, 나는 차우가 한 말이 그렇게 깨달은 듯한 문구가 아닐 것이란 생각이 든다. 차우는 굳이 앙코르와트 사원의 기둥을 찾아가 손가락으로 구멍을 확실히 해서 입을 대고 문구 하나를 묻는다. 그 말은 도대체 무슨 내용일까. 추정해본다. 그가 그곳으로 가기 얼마 전, 그는 리첸으로 여겨지는 전화 한 통

을 받는다. 거기서 리첸의 목소리는 들리지도 않는데, 그는 얼어붙듯 굳는다. 그녀일 것만 같아서다. 아니다라고 말하지 말자. 리첸은 어떤가, 오래전 지나간 사람의 집 구경을 와서 방문만을 열어보고도 눈물이 그렁하지 않던가. 아픔이 사그라지지 않고 남아 있는 것이다. 나는 차우가 사원 기둥에 남긴 그말이 '더는 고통스럽지 않게, 다신 이런 고통이 오지 않게.' 그렇게 아직은 사무쳐 있는 말일 것만 같다.

고름은 째야 아문다는 말이 있다. 후속편을 보지 않아도 리첸의 남편과 차우의 아내는 헤어졌을 것이다. 고름 같은 사랑을 은밀하고 몰염치하게 즐기며 짜냈기 때문이다. 그러나 차우와 리첸은 어떤가. 그들은 사랑이라는 고름을 그냥 가슴에 채워둔 채, 멍울을 만들어놓은 사람들이다. 때문에 결코 그들의 사랑은 잊혀지지 않을 것이다. 그들이 그리 된 것은 사회의 관습 때문이다. 그들이 제도에 순종하는 나약하고 평범한 우리 같은 사람들인 때문이다. 우리가 리첸과 차우에게 애정을 준 까닭도 그 때문이다.

몇 년이 지나가도 참아지지가 않아서 눈물을 글썽이면서, 그들은 아직도 결백을 주장할까 생각해본다. 나는 그들에게 결백을 강요한 주변이 마냥 밉다. 내가 만약 그들 곁에 있었다면, 그들에게 결백의 집착에서 벗어나라고 사람들의 편견을 반영하는 말이지만, 차라리 타락하라고 말했을 것이다. 그래서 고름 같은 사랑, 다 짜내고 잊을 수 있게, 정말 잊을 수 있게 했을 것이다.

인간이 감당할 수 없는 사랑은 신의 잘못이다.

왕가위의 전작 〈해피투게더〉가 우리나라에서 상영불가판정을 받고 그것의 상영의 가당성과 부당성을 논할 때 지면에서 왕가위, 그의 변을 들은 기억이 있다. 자세한 발언은 잊었지만 대략, 그가 홍콩과 대만과 중국 본토를 주인공에 대비시켜 놓았으니, 엄밀한 의미에서 그 영화는 마냥 게이들만을 다룬 영화는 아니라는 이야기였다. 게이들의 영화이든, 국토가 분절(중국의 입장에서 나온 말이겠으나)된 사람들의 상징적 대비이든 이것에 상관없이 난 그 영화의 줄거리에 이끌려 영화관을 찾았다. 그리고 화가 났다. 도대체 야휘와 보영을 누가 만나게 한 것일까. 영화를 보는 내내 나를 혼란스럽게 했던 것, 누가 중국을 대변하고, 홍콩을 대변하고, 대만을 대변하는지 그것보다 더 나를 혼란스럽게 한 것은 바로 그것이었다. 도대체 누가 야휘와 보영을 만나게 했는가? 만나서 사랑하게 했는가? 사랑해서 매달리게 했는가? 매달리는 걸 뿌리치게 했는가? 사랑이 사람의 힘으로 좌지우지되는 게 아니라면 그들의 만남이 애초에 그들이 의도한 것이 아니라면, 서로가 만나서 고통받는 그 대가는 모두 신이 대신 져야 할 짐이다.

〈화양연화〉의 리첸과 차우의 슬픈 만남 역시, 오롯이 그들이 짊어져야 할 짐이 아닌 신이 함께 나누어 져야 할 짐이란 생각이 든다. 리첸의 눈이 머무는 곳에 차우를 두었던 것도, 차우와 리첸이 오래전 서로가 혼자일 때 서로를 보지 못하게 한 것도, 그들을 서로 사랑하게 한 것도 신의 영향 아래 있기 때문이다.

어쩌면 모든 영화는 인간이 감당하기 어려운 질문들을 던져놓고 그것을 풀어가는 해답의 과정인지도 모른다. 왕가위는 〈해피투게더〉와 〈화양연화〉에서 그 해답을 모두의 결별로 마무리 짓고 있다. 감당하기 어려우니 외면이 상책이었을까. 나라면 어찌했을까. 모를 일이다. 다만, 야휘가 떠나고 좁은 빈 방에서 보영이 담뱃갑을 보며 통곡하던 모습이, 실제가 아닌 이별연습에서조차 아이처럼 울던 리첸이 나는 다만 너무 안쓰럽다.

그래서 빈다. 신이여, 인간에게 너무 가혹한 사랑일랑 내리지 마소서. 그리고 그들의 아픔이 당신의 실수였다고 말하며 위로하소서, 용서하소서.

남의 남자를 사랑하는 것, 남의 여자를 사랑하는 것, 그 외모든 부적절한 관계. 다수의 사람들은 그 은폐할 수밖에 없는 사랑을 두고 달콤하다거나 자극적이라거나 황홀하다는 표현을 쓴다. 훔친 사과가 맛있다는 고전의 음담패설을 들먹이면서. 나 역시 〈화양연화〉를 감상하기 전, 그 음담패설의 비릿한 자극을 원했는지도 모른다. 그런데, 영화를 보는 내내 나를 갸웃하게 했던 것이 있다. 그들이 웃지 않는 것. 그들이 웃지 않으니 관객인 나도 웃음이 나질 않았다.

내 기억이 맞다면 카메라가 객관적이다 못해 창문 밖으로 빠져 있을 때, 리첸이, 차우가 수줍게 웃는 장면이 딱 한 번 있었다. 두 사람 다 입술을 애써 오므린 채 수줍고, 어색한 표정이었다. 그들은 서로밖에는 주시의 상대가 없는데도 풀어지지 못하고, 활짝 웃지 못하고, 멈칫거린다. 불륜이란 그런 것이다. 남들 앞에서는 물론, 상대 앞에서도 끊임없이 죄의식을 가져야 하는 것, 웃음 한 번 웃는 게 서로의 사랑을 농락하는 것만 같아서 조심스러워지는 것, 그것이 불륜이다. 〈화양연화〉의 OST를 사면 몇 장의 영화사진을 덤으로 준다. 아는 사람이 그것을 가지고 있어, 얻어서 보았다. 그중 한 장의 사진이 눈에 들어왔다. 리첸과 차우의 격렬한 키스 장면을 담은 그 사진은 본 영화 내용엔 없는 장면이었다. 아마, 그 장면을 찍어놓고 왕가위는 붙이지 못한 모양이었다. 그 입맞춤에서의 리첸의 표정이 떠오른다. 그녀는 눈을 질끈 감고, 아프게 울어버릴 것만 같았다. 상상을 더 해보면, 그 입맞춤 뒤에 그녀는 주저앉아 엉엉 울어버렸을지도 모를 일이다. 사랑의 즐거움을 앗아가버린 불륜의 대가를 그들은 받고 있었다.

삭제 컷이 아닌, 상영된 영화의 한 장면에서도 그들이 불륜의 대가를 톡톡히 받는 장면은 있다. 이별연습을 한 날, 그들은 택시 안에 있다. 그때, 리첸이 말한다.

"오늘밤은 집으로 가지 않겠어요."

그 말은 분명 사랑하는 여자가 그 밤 그의 품에 있겠다는 말이다. 그런데, 그 말을 들은 차우의 눈을 보았는가? 그는 고통스레 눈살을 찌푸린 채 멍하다, 말은 없다. 입을 맞추는 것도, 사랑하는 상대를 품에 안는 것도, 기쁘지 않을 만큼 그들은 고통스럽다. 만난 게 아프니, 만나서 하는 모든 행위가 아프다. 불륜에 고통받는 주인공은 왕가위의 영화 〈해피투게더〉에서도 나온다. 더듬어 생각해보라. 서로를 비웃을 때 말고 그들이 신이나 즐기며 웃는 장면이 있는지.

내가 왕가위를 좋아하는 이유가 한 가지 있다면, 바로 그것이다. 그가 불륜을 미화하는 것이 아니라, 그들의 고통을 부각해 동정표를 찍게 하는 재주 바로 그것이다. 누굴 동정할 수 있다면, 그렇게 자비로울 수 있다면, 그것은 결코 나쁘지 않다. 돌을 던지는 자 옆에 서서 돌에 맞은 자를 감싸안는 일, 그것도 영화인과 작가의 역할 중 하나가 아닐까.

힘내라, 그대들

_작가지망생 여러분에게

12년 전 방송작가협회 교육원에 첫발을 내딛던 때가 생각난다. '오직 글을 쓸 수 있다면'이란 순수한 마음은 당시의 나에겐 없었다. 잘 다니던 직장을 타의 반, 자의 반으로 그만두게 되면서, 사회부적응자로 스스로를 낙인찍은 나에게 당시의 교육원은 도피처였고, 어쩌지 못하고 붙어 있는 내 목숨을 혹여나 좀 더 연명해줄 수도 있는, 우울한 희망처였다.

　'드라마는 인간이다'라는 명제가 칠판에 쓰여지고, 외울 것도 없는 그 단문을 나는 몇 번이고 동그라미를 치며, 입으로 달달거렸다. '글은 마음으로 쓰는 것이야.' 초등학교 때부터 대학 때까지 천번 만번 목청 돋우어 말했던 내가 스스로도 무색하게 단문도 초단문인 그 명제를 입으로만 달달, 그렇게 모든 게 생뚱맞을 만큼 당시의 나는 절박했다.

　그런 내가 이젠 선생이 되어 교육원생 앞에 선다. 수업하는 내내 학생들은 말이 없고, 눈빛을 반짝이다 못해 금방이라도 울고 말듯 과잉된 긴장에 안구가 벌겋다. 그곳에서 늘 웃는 건 나이고, 목이 마른 건 교육원생 그대들이다. 너무나도 나 같아서, 괜히도 푹푹 한숨이 쉬어진다.

좀 더, 좀 더, 누구는 악랄하게 밤을 새우고, 누구는 가슴 찢어지게 책상 앞에서 코를 박고 운다고, 술 마실 시간이 어디 있냐고, 여의도에 왜 돌아다니냐고, 감독의 눈치를 보기 전에 글자 하나에 온 신경을 집중하라고, 나는 매일을 악을 쓰지만 모두 헛짓인 것을 안다.

그대들은 나보다 절박하고, 나만큼 치열하며, 강요하지 않아도 외롭고, 자학에 지쳐 얼굴마저 샛노랗다.

모르지 않는다.

여의도 강변 난간에서, '내가 글을 쓸 수 있을까, 내가 정말 세상에 할 말이 있을까' '내가 정말 인간을 아는가, 내가 정말 내 밥을 내가 벌어먹을 수 있을까'를 되묻고 되물으며 목 놓아 울었던 나를 12년 만에 코앞에서 다시 재회하는 이 심경을, 뭐라 할 수 없어 소리칠 뿐이다. 여의도가 마포보다 더 자주 안개에 젖는다면, 모두 교육원생들의 눈물 탓이다.

원생들, 그대들에게 위로가 필요하다면 나는 얼마든 해주겠다. 힘내라, 그대들. 그대들이 걷는 길은 드라마작가라면 모두가 걸어간, 걸어가는 길이다. 지금 쓰고 있다면 지금 외롭다면 지금 치열하다면 지금 게으름에 분노한다면 그대들은 분명, 드라마작가가 되는 바른 길로 들어섰다.

힘내라, 그대들.

노희경이 글쓰는 수칙 몇 가지

1. 성실한 노동자가 되어라.

노동자의 근무시간 8시간을 지킬 것.

2. 인과응보를 믿어라.

쓰면 완성할 확률이 높아지고, 고민만 하면 머리만 아프다.

3. 드라마는 인간이다.

인간에 대한 탐구가 드라마에 대한 탐구다.

4. 디테일하게 보라.

듬성듬성하게 세상을 보면, 듬성듬성한 드라마가 나오고, 섬세

하게 세상을 보면 섬세한 드라마가 나온다.

5. 아픈 기억이 많을수록 좋다.

작가는 상처받지 않는다. 모두가 글감이다.

6. 생각이 늙는 걸 경계하라.

몸은 늙어도 마음은 늙지 않는다. 그러나 생각은 늙을 수 있다. 지금 내가 하는 모든 생각이 편견인 것을 직시하고, 늘 남의 말에 귀 기울일 것. 자기 생각이 옳다고 하는 순간, 늙고 있음을 알아챌 것.

7. 조율을 잊지 마라.

드라마는 혼자 하는 작업이 아닌 더불어 함께하는 작업이다. 조율하지 못할 거면 드라마작가를 포기하라. 드라마작가는 드라마의 여러 작업 파트 중 다만 글을 쓰는 사람일 뿐, 우두머리가 아니다. 작가적 중심과 독선을 구분하는 게 관건이다.

드라마는
왜
꼭 재미있어야 하나

사람들은 드라마작가로서 내게 불만이 많다. 대부분 그들의 불만은 이유가 있다. '노희경의 드라마는 머리가 아프다, 재미가 없다, 대중성이 없다, 흥행성이 없다.' 맞는 말이다. 공감한다. 그런데 왜 난 그들의 말을 따라줄 수 없는 걸까. 그건 내 드라마관이 그들과 다르기 때문일 것이다. 사람들은 흔히 드라마란 대중을 위한 오락프로이며, 재미가 있어야 하며, 보고 나선 잊어도 좋은 것쯤으로 생각한다. 물론 그럴 수도 있다. 하지만, 그렇지 않을 수도 있다.

나는 시청자뿐만 아니라 작가들조차 그렇게 생각하는 이유에 대해 묻고 싶다. 왜 드라마는 반드시 가벼워야 하는가? 그것이 드라마의 존재 이유라고 누가 감히 말할 수 있는가? 확언하건대, 그건 편견이다. 드라마는 대중이 아닌 소수의(낮은 시청률 10퍼센트만 계산해도 4백만인데, 그걸 소수로 볼 수 있을지는 의문이지만) 것일 수도 있고, 재미의 시간이 아닌 고민의 시간일 수도 있으며, 일회성이 아닌 영원성을 지닐 수도 있다.

얼마 전 어른 한 분이 내게 일본 드라마 단편 극본집 한 권을 주었다. 나는 일본 드라마에 대한 심한 편견(우리나라 작품들이 끊임없이 모방하는 대상 정도로만 생각했다)을 가지고 있던 터라 그걸 묵혀만 두었다. 그러다 어느 한 날, 남아도는 시간을 때울 요량으로 책을 펴들었는데, 그때 그 기분을 뭐라고 설명할 수 있을까. 흥분과 전율이 일었다. 그곳에 실린 글들은 우리가 흔히 생각하는 드라마의 범주를 크게 벗어나 있었다. 진지한 철학이 있었던 것이다.

그들은 트랜디와 액션, 코미디, 섹슈얼리즘, 그 사이에 철학(일례를 든다면, 영화 〈우나기〉의 질문 공즉시색 색즉시공의 질문 같은)을 포함한 드라마를 가지고 있었던 것이다. 그런데 우린 어떤가? 전부는 아니라 해도(분명 전부는 아니다), 대부분의 드라마가 트랜디와 코미디로만 흐른다. 그것도 우리 식, 내 식이 아닌 어디서 본 듯한 어디서 들은 듯한 것들이 천지다. 작가란 단어를 풀이하면 '만드는 자'란 뜻이다. 다시 말해 창조하는 자란 뜻이다. 창조를 하지 않으면 그는 작가가 아니다. 글을 '본 땄다'고 하는 것은 '훔쳤다'란 말과 다르지 않으며 따라서 훔친 드라마는 드라마가 아니다. 그건 도둑의 장물과 같다.

나는 우리나라 시청자들만큼 불쌍한 대접을 받는 사람들이 없단 생각을 종종 갖는다. 작가들과 방송국은 그들을 멸시한다. 그들은 시청자를 이렇게 평가한다. "초등학교 고학년에서 중학교 1, 2학년 수준. 코미디를 좋아하며 같은 얘기를 또 들려주어도 모르는 멍텅구리. 깊이는 절대로 강요하지 말 것. 3분 정도는 웃겨주고, 3분 정도는 대충 감동 비슷한 걸 만들 어줄 것. 꿈을 좇는 사람들이 많음으로 신데렐라, 캔디, 콩쥐 캐릭터는 필수."

나는 내 형제가 내 친구가 나 자신조차 이런 대접을 받는 걸 참을 수 없다. 가끔 출판사에서 전화가 온다. 그들은 내 비위 라도 맞추려는 양 이렇게 말을 한다. "노희경 씨는 소설을 쓰 셔도 될 것 같아서…", 마치 드라마보다 소설이 한 급 위인데, 소설을 쓸 급수에 든다는 투다. 그럼 나는 그 말이 채 떨어지 기도 전에 언성을 높이게 된다. "나는 드라마작갑니다. 때문 에 소설을 쓸 생각이 없습니다." 탁!(전화 끊는 소리).

진정한 민주주의는 다양성을 인정하는 사회다. 그렇다면 아 직 우리나라의 방송 현실에서 민주주의는 없다. 어제도 오늘 도 나는 강요받았었다. 남들처럼 재미있게. 죄송하지만 사양 한다. 나는 드라마의 다양함을 추구하는 작가이고 싶다. 그래 서 획일화되는 드라마의 구조를 조금만 흔들 수 있다면 내 도 리는 한 것이다. 하지만, 이번 원고에서도 나는 욕을 먹을 것 이다. 시청률 제로에 도전하는 작가? 밥줄이 끊길지도 모를 일이다.

앞의 글을 읽는데 식은땀이 난다. 내가 십 년 전 이렇게 위험한 생각을 가지고 있었나 싶어, 입 안마저 바짝 탄다. 이 글이 인터넷에 떠돌며 내가 가르친 학생(후배라고 해야 맞다)들이 읽고 얼마나 혼란스러웠을까 싶은 게, 책을 내는 이 마당에 이 글을 확 지우고 단 한 번도 이런 말을 한 적 없다고 시침을 떼고 싶은 심정이다.

그런데, 그래선 안 되겠단 생각이 든다. 사람은 누구나 어리석게 생각할 때가 있고, 세월이 흘러서 혹은 새로운 경험이 생겨서 그것이 어리석었다고 깨달을 때가 있고, 나도 그랬다고 말하는 게 중요한 일이겠다 싶다.

나는 요즘 드라마는 반드시 가벼워야 한다고 생각하진 않지만 가벼운 게 좋다고 생각한다. 나는 앞의 글을 쓸 당시, 가벼움을 깊이 없다고 착각하고 있었다. 가벼움에 반대말은 무거움이요, 깊다의 반대말은 얕다인데, 가벼움의 반대말을 깊다로 착각하고 무거움과 깊다를 동의어로 착각해서 벌어진 해프닝이다.

여전히 부족하지만
나는 나의 열정을
쓰다듬어 준다.

노희경

뒤오미를 봐요.
꿈 조 왔어
오늘의 수목원들

꽃

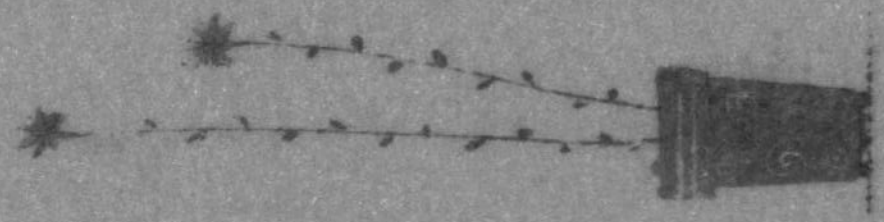

드라마는 왜 꼭 재미있어야 하느냐는 질문에도 나는 요즘 이전과 다른 생각을 가지고 있다. 드라마는 꼭 재미있어야 한다. 굳이 재미없는 걸 이 재미없는 세상에 쓸 필요가 있나 싶다. 물론 재미에는 여러 종류가 있다. 슬픈 재미, 아픈 재미, 서글픈 재미, 배우는 재미 등등. 어른이라면, 아니 청소년기라 해도 재미가 깔깔대는 것만은 아니라는 것은 다 알 법하다. 위에 글을 쓸 당시에도 나는 그런 생각을 가지고 있었는데, 너무 격해서(앞의 글은 〈거짓말〉을 막 끝냈을 때인데, 그때 나는 나름대로는 자중한다고 생각하고 있었지만, 지나고 보니 아프지만, 그때만큼 내가 교만한 적은 없었다, 이제야 인정이 된다), 본래 하고자 한 말을 못하고 이상하게 말이 꼬였던 거 같다.

소설 출판 제의를 받은 부분에서도 나는 위에서처럼 그렇게 말해서는 안 되었다. 제의를 해준 사람에 대한 예의가 아닌 것이다. "고맙지만, 저는 드라마 쓰는 게 더 좋습니다"라고 말했어야 했다. 뭐한다고 성의를 가지고 제의해준 사람한테 화를 내나. 참 어이없다 싶다.

'본 땄다'는 말을 '훔쳤다'고 매도한 부분도 사과해야겠다.

지금 사랑하지 않는 자, 모두 유죄

우리는 누구나 본을 딴다. 나는 내 어머니를 본 따려고 참 애쓰고, 내가 존경하는 스승을 본 따려고도 무기지 애쓴다. 모방은 창작의 어머니란 말이 괜히 생겼겠나. 모방은 나쁘다 할 수 없다. 나는 다만 '패러디와 표절의 차이'에 대해서만 말했으면 됐다. 패러디란 겉모습은 본 땄으나, 작가가 새로운 해석을 불어넣은 것이고, 표절은 작가가 새로운 해석 없이 다만 베끼는 데 목적이 있는 걸 말한다. 재해석을 하든 표절을 하든 그건 작가 스스로의 몫이다. 뭐가 나쁘다 좋다 할 게 없다. 다만 표절을 하면 표절작가란 소리를 들음 된다. 그리고 대부분 표절작가에겐 작가로서의 자격 박탈이 주어지니 그걸 달게 받을 일이다.

사람들은 요즘도 내게 말한다. 남들처럼 재미있게. 그러나 나는 이전처럼 사양한다고 소리치지 않는다. 다만 '배우겠습니다'라고 말한다. 내가 가진 장점이 있다면 그걸 가진 채 다른 사람의 장점을 배우는 자세가, 내 것만을 고집하는 것보다 더욱 소중함을 알아차린 때문이다. 누굴 위해서? 나를 위해서.

시간이 가서 지난날의 내 글을 보는 맛이 참 쓰다. 부끄럽고, 때론 너무 여렸구나, 그 여리고 어리석은 탓에 세상 살기가 고단도 했겠구나, 괜한 연민도 생긴다. 그러면서도, 생각이 변하고, 사람이 변하고, 마음이 변하고, 다 변하는 것이구나를 알아가는 게 참 좋다. 10년 후에 난 또 이 글을 보고 무엇을 느끼려나. 기대가 된다.

그들이 사는 세상

그와 그녀의 이야기

〈그들이 사는 세상〉 속에서
나눈 그 '지오'와
그녀 '준영'의 이야기입니다.

내겐 너무도 버거운 순정

[그녀의 이야기]

누가 우리나라 드라마의 한계성에 대해 단 한마디로 정의를
내려달라고 한다면 나는 단연코 순정에의 강요라고 말하겠다.
십대 소녀도 아닌 이십대, 삼십대의 드라마 주인공들이
늘 우연히 만난 지난날의 첫사랑 때문에 목을 매는
한국드라마에 난 정말 신물이 난다.

그러나 돌이켜 생각해보면
나는 순정을 강요하는 한국드라마에 화가 난 것이 아니라,
단 한 번도 순정적이지 못했던 내가 싫었다.
왜, 나는 상대가 나를 사랑하는 것보다
내가 더 상대를 사랑하는 게 그렇게 자존심이 상했을까?
내가 이렇게 달려오면 되는데,
뛰어오는 저 남자를 그냥 믿으면 되는데, 무엇이 두려웠을까?
그날 나는 처음으로 이 남자에게 순정을 다짐했다.
그가 지키지 못해도 내가 지키면 그뿐인 것 아닌가?

산다는 것

어머니가 말씀하셨다.

산다는 건,

늘 뒤통수를 맞는 거라고.

인생이란 놈은 참으로 어처구니가 없어서

절대로 우리가 알게 앞통수를 치며 오는 법은 없다고.

나만이 아니라, 누구나 뒤통수를 맞는 거라고.

그러니 억울해 말라고.

어머니는 또 말씀하셨다.

그러니 다 별일 아니라고.

하지만, 그건 육십 인생을 산 어머니 말씀이고,

아직 너무도 젊은 우리는 모든 게 다 별일이다. 젠장.

내가 드라마국에 와서,

귀에 못이 박히게 들은 드라마트루기,

연출의 기본은 드라마는 갈등이라는 것이다.

갈등 없는 드라마는 있을 수도 없고, 있어서도 안 된다.

최대한 갈등을 만들고,

그 갈등을 어설프게 풀지 말고,

점입가경이 되게 상승시킬 것.

그것이 드라마의 기본이다.

드라마국에 와서 내가 또 하나 내 귀에 못이 박히게

들은 얘기는 드라마는 인생이라는 말이다.

그런데, 이 시점에서 드라마와 인생은

확실한 차이점을 보인다.

현실과 달리 드라마 속에서 갈등을 만나면 감독은 신이 난다,

드라마의 갈등은 늘 준비된 화해의 결말이 있는 법이니까.

갈등만 만들 수 있다면,

싸워도 두려울 게 없다.

그러나 인생에선 준비된 화해의 결말은커녕

새로운 갈등만이 난무할 뿐이다.

드라마처럼 살아라

[그녀의 이야기]

친구도 필요 없고, 애인도 필요 없고, 하늘 아래 나 혼자인 것처럼 철저히 외로울 때가 있다. 그럴 때면 어김없이 언제나 아빠가 생각난다. 두 살 난 아이에게 보들레르를 이야기해주는 대학교수이며, 학자이고, 시인인 우리 아빠,
그는 왜 우리 엄마를 먼저 본 걸까, 아빠를 먼저 봤다면 정말 좋았을 텐데.

애인은 날 의리 없고 이기적인 애라고 단정 짓고 가버리고, 반찬도 동이 나고 밥도 없고 춥고 배도 고프고, 이 문제를 단한 번에 해결하는 길은 엄마한테 전화 한 통이면 충분하다. 그럼 엄마는 당장이라도 내가 좋아하는 감자전에 시금치나물에 문어숙회까지 들고 올 거다. 그리고 따뜻한 밥을 해서 냉동실에 가득 저장해놓겠지. 1분간의 짧은 통화면 그 모든 게 해결되는데, 나는 그럴 맘이 안 난다. 차라리 굶고 말지. 어떻게 엄마를 떠났는데, 이제와 다시 이런 사소한 일로 부딪힐 기회를 만들 순 없다. 엄마는 내가 조금만 여지를 두면 당장

이라도 내 곁에 들러붙어, 온갖 내가 싫어하는 말들과 행동으로 나를 구렁텅이에 밀어넣을 게 뻔한데.

정말 듣고 싶지 않은 말을 들었다. 어려서 엄마를 피해 드라마를 봤는데, 더 이상 엄마를 피하면 내 드라마의 한계를 벗어날 수 없다고? 절대 그럴 리 없다. 드라마는 드라마고, 인생은 인생이다. 근데 아빠도 그런 식으로 말한 거 같다. 시처럼 인생을 살아라. 아, 모르겠다. 정말.

왜 어떤 관계의 한계를 넘어야 할 땐 반드시 서로의 비밀을 공유하고 아픔을 공유해야만 하는 걸까? 그냥 어떤 아픔은 묻어두고 깊은 관계를 이어갈 수는 정말 없는 걸까? 그럼 나는 이제 그와의 더 깊은 관계를 유지하기 위해서는 정말 그 누구에게도 할 수 없었던 엄마에 대한 얘기를 해야만 하는 걸까? 그러고 보니 지난 사람에게도 난 아무 얘길 한 적이 없었다. 정말 서로의 아픔에 대한 공유 없이는, 그 어떤 관계도 친밀해질 수가 없는 걸까?

아빠는 내가 사람의 생명을 구하는 의사가 되길 바랐지만, 내

지금 사랑하지 않는 자, 모두 유죄

가 드라마를 한다고 했을 때, 아름다운 드라마를 찍는 사람이 아니라, 아름다운 드라마처럼 사는 사람이 되라고 하셨다. 그런데 내 인생은 자꾸 내가 하는 드라마와 엇나간다. 연인의 말대로 난 의리도 없고, 이해심도 없다. 게다가 누구에게나 냉혈한이라고 손가락질 받는 동료마저도 날 감정 없는 인간으로 몰아간다. 오늘은 아빠한테 안겨 엉엉 울었음 좋겠다 싶다.

[그의 이야기]

드라마 속 인물처럼 살고 싶었다.

동료가 잘나가면 가서 진심으로 축하해주고, 자격지심 같은 건 절대 없으며, 어떤 일에도 초라해지지 않는, 지금 이런 순간에도, 큰소리로 괜찮다고 할 수 있는 그런 인물이 되고 싶었다. 그런데, 왜 나는 괜찮지 않은 걸 늘 이렇게 들키고 마는지.

그녀에게 나는 드라마처럼 살라고 했지만, 그래서 그녀한테는 드라마가 아름답게 사는 삶의 방식이겠지만, 솔직히 나한테는 드라마는 힘든 현실에 대한 도피다. 내가 언젠가 그녀에

게 그 말을 할 용기가 생길까? 아직은 자신이 없다. 그런데,
오늘 불현듯 그녀조차도 나에겐 어쩌면 현실이 아닐 수도 있
겠구나 싶다. 그녀같이 아름다운 사람이, 나 같은 놈에겐 드
라마 같은 환상일지도 모른다는 생각이.

아니라고 해줄래? 너는 현실이라고.

눈빛 하나로 삶을, 사랑을
보듬을 수 있다면

사랑은 또 온다.
사랑은 계절 같은 거야.
지나가면 다신 안 올 것처럼 보여도
겨울 가면 봄이 오고, 이 계절이 지나면,
넌 좀 더 성숙해지겠지.

그래도, 가여운, 내 딸.

—

〈거짓말〉 중에서

잘 있었나,
K양

당신이 이 편지를 받고, K양이란 호칭에 한동안 즐겁게 웃을 것이라, 장담한다. 김수야, 수야 씨, 이 여자야, 순둥아! 당신의 호칭을 즐겁게 변조해 부를 수 있었던 그때, 나는 참 행복했다. 당신 같은 여자를 엄마로 두어서. "그러지 마라, 어른을 놀리는 게 아니다." 말로는 꾸짖어도 당신과 격 없이 놀려하는 나를 당신은 표 나게 좋아했다. 그래서 당신이 임종 직전 나를 많이 사랑한다는 말에 감격하지 않았다. 당신이 얼마나 막내딸 희경일 사랑하는 줄 '늘' 알고 있었으므로.

　당신이 누구나 반드시 가야 하는 곳으로 간 이후, 나는 작가가 됐다. 옆에 있어도 애타게 그리웠던 당신은 떠난 후로도 여지없었다. 주인공이 연애하고, 이별하고, 죽음을 맞고, 배신하고, 후회할 때, 나는 무시로 당신의 조언이 필요했다.
　마음에 안 드는 형부감을 두고 "언니 저 사람하고 결혼시키지 마라"고 투정하는 내게 "너랑 안 살아" "그럼 엄마는 그 사람이 맘에 든단 얘기야!" "나랑도 안 살아"라고 심플하게 말하던, 어린 나보다 구태의연하지 않았던, 사는 게 고단해도 눈(雪)은 예쁘다던 당신, 아! 정말 왜 그리 빨리 갔느냐.

프랑스 작가 아니 에르노는 쉰이 넘은 나이에 자신이 체험한 지독한 사랑 얘기를 《단순한 열정》이란 책으로 펴냈다. 나는 그 책을 읽고 숱한 질문이 생겼다. 쉰이 넘은 나이에 앞뒤 분간 없이 이렇게 무모할 수 있다고? 자식 같은 유부남과 살을 비비며 죄책감 없을 수 있다고? 사랑은 단순한 열정에 지나지 않는다고? 사랑은 습관처럼 반복되는 것이라고? ─ 《단순한 열정》에 답하듯 쓴 《포옹》(필립 빌랭)까지 읽어야 나올 수 있는 질문이지만 ─ 묻고 싶었다. 《단순한 열정》의 아니 에르노와 같은 쉰의 나이에 온몸이 병들어 썩어가던 당신에게 사랑은 무엇이었는지, 잠자리의 열정은 있었는지, 들뜸과 싸늘함의 경계는 진정 한 끗발 차이인 것인지. 아니, 그보다 당신도 아니 에르노처럼 여자였는지 인간이었는지.

나는 묻고 싶었다. 만약 그랬다면 미안하다. 나는 당신을 한번도 여자로 인간으로 대접하지 못했다. 긴 수술 후 깨어난 당신에게 "무엇이든 말만 하면 사주고 해주마" 했더니 당신은 그렇게 말했다. "내 청춘 돌려줄 수 있나." 가슴이 무너졌다. 그때 당신은 내게 첨으로 인간으로 친구로 허무한 인생을 논하려 했을 수도 있는데, 연약한 나는 그 말을 못 받았고 고개를 돌려 피했다.

내 사랑스러운 조카들, 봉수, 시명, 경희, 을, 시진, 윤아, 그리고 푸른하늘. 나는 그들에게 당신이 내게 해주었던 역할의 반만이라도 해주고 싶다. 그리고 그들과 당신하고 나누지 못했던 열정과 사랑과 죄의식과 모멸감과 잠자리의 여러 경계를 부수는 것까지 이야기하려 한다. 혹여 당신 내가 그들과 얘기하는 도중 어설픈 것이 있다는 걸 알아차린다면 부디 알려주라.

그리고 잘 있어라, 당신.

노희경이 표민수에게,
표민수가
노희경에게

만나자마자 가방부터 받아주는 버릇은 여전하군요. 당신의 이런 모습에 번번이 감동하고 있다는 말을 해준 적이 있던가요.

요즘도 가끔 우리의 첫 만남을 떠올립니다. 1996년 나문희 선생님의 소개로 우리 둘이 처음 만났던 그때, 내 나이 꼭 서른이었죠. 그러고 보니, 당신은 내게 서른에 보내진 선물인 셈이군요.

지금도 그날을 생각하면 쿡 웃음부터 납니다. 너무도 세련되고 깔끔해서 내 '과'가 아니라고 생각하고 있던 참이었는데, 당신의 입에서 튀어나오는 건 뜻밖에도 촌스런 경상도 사투리였죠. 그날, 술도 잘 못하는 우리들은 차 한 잔을 앞에 두고 참 많은 이야기를 나누었습니다. 무려 6시간 동안이나 말입니다. 그때 나눈 이야기들은 그대로 에이즈 환자의 사랑과 상처를 그린 〈아직은 사랑할 시간〉이라는 단막극이 되었지요.

처음 만난 사람들끼리, 앉은 자리에서 대본 하나를 다 써낸 겁니다.

그때 당신이 내게 물었던 말을 지금도 생생히 기억합니다. 남편이 에이즈에 걸렸을 때 아내는 그 남편과 잘까요? 그 질문은 너무 무겁고 또 너무 새로워서 나를 긴장시켰습니다. 다음 스토리를 어떻게 이어갔으면 좋겠냐는 질문 대신, 계속해서 '당신이라면'으로 시작되는 것들을 물어댔죠. 대답을 하고 나면 다시 '왜'라는 질문이 돌아오고, 그런 식으로 우리는 이야기를 잇고 또 이었습니다.

생각해보면, '참 잘 끼운 첫 단추'였다는 생각이 듭니다. 그날부터, '이야기를 어떻게 만들까'보다 '인간은 뭐고 사랑은 뭘까' 그런 이야기를 더 많이 나눠온 것 말이에요.

그 숱한 '수다'가 아니었다면 일상의 사소한 감동을 드라마에 녹여내는 길에 우리는 끝내 이르지 못했을지도 모릅니다. 이런 고백 쑥스럽지만, 당신은 내게 '등대' 같은 친구입니다. 내가 뭘 발견해내고 그걸 본 내 눈이 옳았는지를 물으면 언제나 최선을 다해 '판결'해줌으로써, 내가 걷는 길을 환하게 밝혀줬잖아요.

기왕에 낯간지러운 말을 시작한 김에, 당신을 참 아름다운 연출자로 생각한다는 고백까지 해둡니다. 우리의 정신이나 육체를 대변하는 게 연기자와 스태프라는 걸 너무 잘 아는 당신은 절대로 사람 위에 군림하지 않지요. 아무리 사소한 일이라도 그것을 움직이는 모두의 역할을 동등하게 인정하는 모습이 늘 보기 좋습니다. 사람을 사랑할 줄 아는 사람과 함께 일할 때의 기쁨만한 것이 세상 어디에 또 있는지 나는 알지 못합니다.

뿐인가요, 화면 자체의 아름다움에 눈이 멀어, 화면 안에서 어떻게 하면 인물의 감정을 제대로 살릴 수 있는지를 고민하지 않는 '우'를 당신은 한 번도 범하지 않았지요.

함께 작업하지 않을 때도 자주 통화하던 우리였습니다. 지난해 당신이 연출했던 〈푸른 안개〉를 보고 '나와 함께할 땐 보여주지 않았던 것들이 보인다'고 했던 것은 괜한 말이 아니었어요. 솔직히 당신의 연출 감각을 누구보다 믿고 좋아하는 내게도 한 가지 불만은 있었답니다. 감정이 디테일한데 반해 너무 템포감이 없다고 생각한 적이 많았는데, 그 작품에선 바로 그 템포감이 느껴지더군요.

각오해요. 이번 〈고독〉에서 그 '덕'을 톡톡히 볼 생각이니까요.

가방 좀 들어준 거 갖고 그러지 말아요. 글 쓰느라 몇 날 며칠 지방에서 끙끙대고 온 사람을 위해 고작 그 정도밖에 해줄 수가 없다는 게 오히려 미안한걸요.

처음 만난 날 생각은 나도 가끔 합니다. 어쩌면 사람의 눈이 저렇게 맑을까, 난 그렇게 생각했는데 당신은 내 사투리를 듣고 웃었다니 좀 섭섭해집니다. 그때 우린 둘 다 신인이었습니다. 나는 데뷔 준비 중이었고, 당신은 갓 두 편의 단막극을 끝냈지요. 말하자면, 우린 함께 성장해온 겁니다.

우리가 나눈 그 많은 이야기들을 어떻게 일일이 기억할까요?

〈거짓말〉 촬영 때였을 겁니다. 사람들의 평판이 제법 좋았지만, 남들의 칭찬(혹은 우리끼리의 자화자찬)을 '청산가리'로 생각하기로 한 우리들은 그날도 반성해야 할 것들에 대해 이야기를 시작했을 겁니다.

앙카라공원 벤치였죠. 저녁 무렵에 이야기를 시작했는데, 동편으로 훤하게 동이 터오는 걸 보고 참 많이 황당했잖아요.

〈바보 같은 사랑〉 때는 또 어떻구요. 시놉시스 단계에서 결말이 이미 만들어지는 다른 드라마와 달리, 상우(이재룡 분)를 옥희(배종옥 분)에게 보내야 할지, 영숙(방은진 분)에게 보내야 할지를 놓고 우린 거의 마지막까지 함께 고민했습니다. 끝내 우리는 옥희의 손을 들어줬지요. 처음에 난 영숙의 편이었습니다만, 사랑의 손을 들어주고 싶어 한, 고통받아온 사람들에게 그렇게라도 선물을 주고 싶어 한 당신의 그 결고운 마음을 거역할 수 없었습니다.

돌이켜 보면, 당신은 늘 그런 식이었습니다.

고통받는 사람을 외면하지 못하고, 그들의 상처에 약을 발라주거나 선물을 줘야만 직성이 풀렸어요. 난 그게 늘 좋았습니다.

어떻게 잊을 수가 있겠습니까.

〈바보 같은 사랑〉 첫 회가 드라마 사상 최악의 시청률을 기록했던 날을 말입니다.

"방송되기 전에 이미 완제품을 세상에 내놓은 상태이고, 시사회 반응도 너무 좋았다. 이건 우리 잘못이 아니다. 그냥 그런 결과가 나온 거지."

당신이 했던 말입니다. 그때 당신의 그 씩씩함이 겉으론 의 연한 척하면서 속으론 몹시 당황했던 내게 얼마나 큰 힘이 됐 는지 모릅니다. 나중에 당신이 말했습니다.

사실 잘못이 있었다고,
하지만 그때 우리라도 그렇게 믿지 않으면 좌초하고 말 것 같았다고.

결국 드라마는 (시청률과는 상관없이) 많은 사람들에게 사랑 의 '치유력'에 대해 생각하게 하는 좋은 기회를 준 채 종영됐 고, 우린 성공과 실패의 책임을 두 어깨에 나눠 졌지요. 늘 그 렇듯 아주 공평하게요.

배우와 스태프에 대한 존중에 관한 거라면 나도 할 얘기가 많습니다. 당신이 나보다 더하면 더했지 절대 못하지는 않으 니까요. 배우들을 직접 만나 세세한 버릇 하나하나까지 드라 마에 풀어넣는 일이나, 배우의 사소한 질문 하나라도 그냥 넘 기지 못하는 모습을 너무 자주 봤어요. 어떻게 하면 배우와 스태프가 고생을 크게 하지 않으면서 인물의 감정을 최대한 살려낼 수 있을까, 대사 한 줄 쓰는 일에조차 그 생각을 놓은 적이 없습니다. 당신이야말로 사람을 사랑할 줄 아는 작가입니다.

당신도 알다시피 〈고독〉은 프리랜서로 독립한 이후, 내 첫 작품이에요. 다시 신인으로 돌아간 겁니다. 각오해요. 멋진 '데뷔'를 하는데, 점점 더 멋진 작가가 돼가는 당신 '덕'을 톡톡히 볼 생각이니까요.

*이 글은 프리랜서 작가 박미경 님이 노희경 작가와 표민수 감독의 인터뷰를 편지 형식으로 재구성한 글입니다. 〈KBS 저널〉 2002년 10월호

윤여정은
눈빛 하나로
삶을 보듬는 사람

"드라마 참 못 썼다, 어쩜 그리 못 썼냐! 죽어라 못 쓰더만."

몇 년 전 내가 집필했던 모 작품에 대한 윤여정, 그녀의 평가다. 죽어라 글이 안 될 때 내가 나에 대한 한계를 분명히 알고 있을 때 자타가 인정하는 독설가인 그녀는 여지없다. 대놓고 욕을 한다. 천성이 유순하지 않은 나는 그녀의 독설에 발끈하며 같이 맞장을 뜬다.

"선생님은 언제나 잘하냐, 선생님도 못할 때 있다!"

다른 사람들 같으면 스무 살 터울이 지는 관계에서 이 정도 감정적인 말이 오가면 당연한 수순처럼 결별을 할 테지만, 서로를 잃을 마음이 전혀 없는 그녀와 나는 지금껏 가끔은 안부를 묻고 만나기를 소원하고 있다. 물론 여전히 입에 칼날을 물고 서로를 찌를 태세로. 그러나 서로가 뱉은 칼날에 누구도 다치진 않는다. 아니, 되레 칼날을 물고 말하길 즐겨 한다. 마치 독설의 강도가 우리의 우정을 가늠하는 척도나 되는 양 말이다. 가끔 어린 내가 그녀의 독설이 아프다고 딴죽을 걸지만, 그것은 정말이지 엄살일 뿐 진정한 속내는 아니다. 그녀의 독설에는 고단하고 심심한 세상을 무마하고 위안하는 힘이 있기 때문이다.

참으로 간만에 그녀에게 전화를 넣었다.
"어째 목소리가 그래요? 이상하네."
내가 정중히 안부를 물으니, 그녀가 대뜸 말한다.
"남 말하네, 니 목소리가 더 이상해."
한 수도 편히 받는 법이 없다. 그런데 즐거웠다. 그녀가 여전히 그녀답게 말하는 것이, 그녀가 안녕하다는 증거 같아서.

나는 배우 윤여정 선생님을 '무척' 사랑한다. 한때 나는 내 연정을 나만 알고 있기가 버거워 그녀에게 고백한 적도 있었다(그녀가 그 일을 기억 못한다고 잡아떼면 서운할 일이다). 배우 윤여정의 어디가 그리 좋으냐 물으면 할 말이 없다. 너무 많다. 나는 아직도 〈내가 사는 이유〉에서 그녀가 손언니로 분해, 인생이 아프다고 울며 부는 주인공 애숙에게 말 한마디 없이 담배만 피우며 위로하던 장면을 잊을 수 없다. 그때 그녀가 피워내던 담배연기는 뭉게구름처럼 포근하게 애숙을 덮었었다. 게다가 타들어가고 있는 담배를 들고 있던 그녀의 손가락

지금 사랑하지 않는 자, 모두 유죄

은 또 얼마나 멋졌던가. 뿐만이 아니다. 〈거짓말〉에서 지나간 첫사랑에게 과부임을 숨기다 들키고 휘청거리며 버스에 오르던 그녀의 뒷모습은 삶의 허망함을 숨김없이 드러내기에 너무도 충분했다. '미친년, 지랄하네, 염병, 이 자식아, 저 자식아' 하는 막말조차도 그녀의 입을 통해 뱉어지면 정이 뚝뚝 묻어나는 아픈 위안이 되거나 쓸쓸한 인생에 대한 정의가 된다. 지문 하나 없이 '…'만 있어도 그녀는 미치게 연기를 해낸다. 대체 그게 어떤 연기술에 의해 나오는지는 지금도 알 수 없다. 편히 말하면, 그게 연륜이지 단순히 정의할 수도 있겠다. 그렇다면 연륜이 있는 연기자는 모두 그녀처럼 연기할 수 있을까, 막말과 쌍말을 철학처럼? 분명 그건 아니다. 그렇다면 그녀는 분명 그녀만의 깊은 연기술을 가지고 있다.

나는 한때 섣불리 그녀의 연기술을 가늠해보려 노력했었다. 그러나 이내 포기하고 말았다. 연기는 곧 배우의 인생이라는데, 그렇다면 그녀의 연기를 분석하기 이전에 그녀의 인생을 가늠할 수 있어야 하는데 나로서는 그럴 능력이 없다. 젊은 나이에 남자도 남편도 없는 혼자 몸으로 두 아이를 키워내면서(그것도 정말 훌륭하게), 정말이지 예쁘지도 않은 얼굴과 좋

지도 않은 목소리로, 게다가 아첨할 줄도 모르는 성격으로 그
녀가 오늘의 자리에 오기까지 그녀의 숭고한 노력과 극(그녀
에게는 삶일 것)에 대한 애정을 어찌 감히 상상할 수 있겠는가.
목만 멜 뿐이다.

이즈음의 드라마는 모두 어린애들 사랑 이야기 일색이다.
때문에 그녀처럼 눈빛 하나로, 대사 한마디로, 삶을 위안하고
농락했다가 다시 보듬는 연기를 하는 진짜 배우들의 진정한
연기를 볼 장이 없어지고 있다. 안타깝기 그지없다. 제발 윤
여정, 그녀와 그녀의 동료들이 더 늙기 전에 진정한 인생을
논하는 드라마 세상이 왔으면 한다. 그녀가 젊은 주인공들의
사랑이나 반대하고 밥상이나 차리지 말고, 살아보니 제 자신
이 사랑에 목매고 싶어지더라 하며 울며 부는 연기를 할 수
있는 그런 세상 말이다. 반드시 늙어가는 우리 모두의 인생을
그녀처럼 늙은 배우가 아니면 어찌 '반듯이' 표현해낼 수 있
겠는가. 간사한 시청자여, 부디 늙은 배우를 홀대하지 말지어
다. 그대들도 늙는다.

아주 오랜만에 그녀가 영화를 찍었다 한다. 이 기회에 그녀

가 드라마를 등지고 영화로 가는 건 아닐까 심히 걱정된다. 부디 부탁하건대 영화제작자, 감독들이여, 그녀의 진가를 알지 마라. 그녀를 드라마 난장에 그대로 두어라. 이 글을 읽고 그녀가 어찌 말할지 짐작이 간다.

'아주 사람 밥줄을 끊으려 작정을 했구만.'

귀여운 노친네!

오십에
길을 나선
여자

혼자서는 24시간이 마냥 버겁던 시절이 있었다. 나의 뿌리까지 뒤흔드는 폭풍 같은 격정과 소름 돋치는 흥분과 한없는 너그러움을 두루 갖춘, 정말 가당찮은 애인이 옆에 상주하길 기대했던 시절, 서로에게 서로가 목매는 친구들이 절실히 필요했던 시절 역시 있었다. 그리고 내가 하는 작업이 단순한 생계의 목적만이라는 사실이 못내 구차스레 느껴졌던 한때와 지금 이 순간이 있다. 나는 누구며 내 옆에 있는 이는 누구이고 우리는 왜 철저히 각자들이며 또한 어디로 가는가. 그것만이 밤으로 낮으로 떠오르는 바로 이 시기. 그런 시기적 배경이 맞아떨어져서일까.《오십에 길을 나선 여자》의 저자 조앤과 나는 참으로 괜찮은 시기에 괜찮게 만났다.

그간 나는 페미니즘을 부르짖으며 성공한 여자들의 자전적 에세이는 단 한 권도 읽지 않았다. 편견이라고 해도 어쩔 수 없었지만, 어쨌든 이 책을 펼쳐들 때 약간의 거부의식이 있었다. 성공한 여자들 뻔하지 뭐, 신세한탄에 남성피해의식에 자기우상 만들기. 그런데 웬걸 이 여잔 뭔가 다르다.

조앤은 오십에 뜬금없이 남편과 별거를 선언하고, 유년이 있는 시골의 오두막으로 길을 떠난다. 나를 만나겠다. 내 삶을 살겠다는 목적도 없다. 떠나고 싶은데 떠날 곳이 그곳밖에 없었을 뿐이다. 그런데 그렇게 떠난 길에서 그녀는 삶의 가장 중요한 순간을 맞는다. 계기는 미천하다. 무료한 시간을 때우기 위해 인근 바닷가에서 물개와 수영을 하면서, 그리고 고장 난 온수기의 수리비를 벌기 위해 조개잡이 아르바이트를 하면서, 칼럼니스트였던 그녀가 때마침 일자리까지 잃고, 오롯이 먹고 살기를 목적으로 생선가게를 찾는 대목이 있다.

"돈이 필요해요. 일을 줘요.(그러다 자격지심이 일어나, 자신을 포장하고 싶어져 : 내 생각) 나는 작가예요, 경험이 필요해서…."

나는 왜 이 별것 아닌 대목에서 왈칵 그녀에게 쏠렸을까. 어느 날 작가로 밥 먹는 내가 일거리가 잘려 새로운 일을 해야만 할 때 나는 과연 그녀처럼 생선 대가리를 쳐야 밥을 먹는 생선가게를 기웃거릴 수 있을까? 자신 없었다. 이후 나는 그녀의 글을 아무런 선입견 없이 읽어낼 수 있었다.

그녀는 세 끼의 도시락을 챙겨 갯벌로 조개잡이를 하러 갈 때도 감상을 섞지 않는다. 1200달러의 수리비를 벌려면 몇 바구니의 조개를 캘 것인가에만 관심이 있다. 경이로웠다. 결국은 먹고 살기 위해 글을 쓰면서 끊임없이 그것을 포장하려드는 내게 ─ 가령, 우매한 시청자들에게 인생이 이런 것이다 가르쳐야 하지 않는가? 아, 사람들은 정말 뭘 모르고 사네, 답답하네, 그러니 내가 나서서… ─ 그녀는 그것이 얼마나 자만한 일임을 일깨워준다. 밥을 먹여주는 일에 대한 최소한의 양심, 경의를 그냥 몸으로 느끼게 한다.

아는 이 아무도 없는 곳에서 무작정 자식이 오기를 기다리며, 이미 자식들은 자식들대로 잘 살고, 나는 나대로 잘 살고 있구나, 라고 깨닫는 그녀를 보며, 단순히 돈 벌고 힘들면 샤워하는 그녀를 보며, 나는 참으로 단순하고 소박한 삶만이, 그리고 긴 외로움 속에서 자신과 대화하는 일만이 '의미로움'을 깨닫는다.

1년간의 단순한 노동과 무작정 혼자 있기를 통해 그녀는 참으로 많은 것을 느끼고 오래도록 운다. 신파여도 그 눈물에 나는 같이 마음을 내준다. 그리고 그녀처럼 늙어, 늙음이 주는 지혜를 경이롭게 기다리기로 한다. 늙은 여자에게 경배를!

배우 나문희에게
길을
물어가다

'희경 씨는 하늘이 참 사랑하나봐. 큰 사람 되라고. 그러니까 시청률을 안 주지.'

여지없이 이번 작품도 시청률에 고배를 마신 저에게 당신의 위로만큼 달콤한 위로는 없었음을 고백합니다. 설마 바쁘신 하느님이 제 생각을 하셨을 리 만무하지만(저는 바라지도 않습니다. 이 나이 들어보니 신이 계시든 부처님이 계시든 저는 그분들이 저를 돌보지 않아도 될 만큼 너끈히 사는 게 도리인 줄 알게 되었습니다), 선생님의 위로는 정말이지 따뜻했습니다.

사실 모자란 저는 늘 지나고 나서야 압니다. 이번 〈그들이 사는 세상〉도 역시 그렇습니다. 편치 않은 구성으로 시청자를 불편하게 하고, 여전히 여기저기 덜그럭거리며, 삶을 보는 눈이 마흔이 넘어도 깊어지지 않고, 가르치고. 나름 이 방송가에서 선수 중에 선수이신 선생님이 그걸 발견치 못하셨을 거라 생각하지 않습니다. 다만, 선생님 눈엔 여전히 어린 저를 안쓰러워 그러신 줄 압니다. 고맙습니다.

스물아홉, 돌이켜 보면 정말 싱그러운 나이에 선생님을 만났습니다. 그때 선생님은 참 멋지셨습니다. 쉰 중반의 나이에 베이지색 바바리가 그렇게 잘 어울리는 분을 저는 본 적이 없습니다. 〈엄마의 치자꽃〉, 제 첫 데뷔작의 주인공이셨지요. 그리고 13년 동안 제 극본 속에서 수백 회를 만났습니다. 그런데도 우린 정작 실제로는 얼굴 한번 보기가 하늘에 별 따기였습니다. 뭇사람들은 우릴 패밀리라 부르지만, 차 한 잔 마신 기억도 가물거릴 지경입니다. 이 글을 쓰며 한번 셈해봅니다. 제가 선생님과 단둘이, 아니 여럿이 어울려서라도 차를 마신 기억이 몇 번인가? 다섯 손가락을 채 꼽지도 못할 정도네요. 무척이나 야멸찬 관계입니다. 그러나 이 야멸찬 관계가 멋진 관계라는 걸 가르쳐주신 분이 선생님입니다. 스물아홉 살 때, 제 기억이 맞다면 교외 어느 카페에서였습니다.

'너무 잘난 사람들하고만 어울려 놀지 마, 희경 씨.'
'책 많이 읽어, 희경 씨.'
'버스나 전철 타면서 많은 사람들을 봐, 희경 씨.'
'재래시장에 많이 가, 희경 씨,
 그곳에서 야채 파는 아줌마들을,
 할머니들 손을, 주름을 봐봐, 희경 씨,

그게 예쁜 거야, 희경 씨.'
'골프 치지 마, 희경 씨, 대중목욕탕에 가, 희경 씨.'
'우리 자주 보지 말자, 그냥 열심히 살자, 희경 씨.'
'대본 제때 주는 작가가 돼, 희경 씨.'

　그때, 고갤 조금 수줍게 숙이고 어린 나를 향해 툭툭 내뱉던 선생님의 말씀은 지금까지도 제 방송 생활의 지표입니다. 아마도 선생님 혜안에는 제 어설픈 꼬라지가 보였던 게지요. 방송가를 무슨 돈벼락 쏟아지고, 명예벼락이 쏟아지는, 가난의 한풀이 장소로 여겼던 게 보였던 게지요. 부끄러웠고 참 고마웠습니다. 그리고 정말 다짐했죠.

　재래시장에 많이 가자,
　대중탕에서 아줌마들 수다에 귀 기울이자,
　주름이 예쁜 거다,
　바람에 튼 살이 아름다운 거다,
　골프는 치지 말자,
　대본은 미리미리 쓰자.

제 생애 가장 아름다운 파트너인 표 감독을
소개해준 분도 선생님이셨습니다. 참 예쁜 감
독이 있는데 한번 만나봐. 중매쟁이처럼 다리
를 놔주셨더랬습니다. 그리고, 그걸로 끝입니
다. 만나자는 말씀도, 잘 지내냐는 안부도 우
리 둘 사이엔 없었습니다. 패밀리란 말을 들
으면서도, 전 선생님의 영화 한 편 보러간 적
이 없고, 연극도 〈잘자요, 엄마〉를 보러간 게
전부입니다.

선생님 말씀대로 저는 깍쟁이고, 제 표현대로 선생님도 깍쟁입니다. 극본에 촬영에 녹아나는 일정을 아니까, 전화 한 통화도 얼마나 부담스러울까 서로 심하게 깍쟁이처럼 배려하죠. 근데 묘합니다. 깍쟁이 같은 우리 관계가 저는 갈수록 너무 좋습니다. 아껴 보는 관계. 그래서, 선생님이 텔레비전에 나오면 제 극본이 아니어도 저는 신이 납니다.

'아, 노친네, 그새 주름이 늘어, 더 멋있네.'
'뭐 발랐나, 오늘은 되게 예쁘네.'
'저 손 한번 잡아봤으면…'

선생님의 크고 두툼한 손은 보기만 해도 설렙니다. 유치해도 어쩔 수 없는 표현입니다. 이 나라든 저 나라든 누구이든지 간에 어머니만 같습니다. 정말 일 년에 한두 번 전화하는 선생님의 수다가 길어질 때가 있습니다.

'목욕탕에서 들은 얘긴데, 어느 여자가 남편이 있는데, 다른 남자를 만나며….'

'동네 사는 어느 할머니한테 들은 얘긴데, 글쎄 그 집 아들이….'

솔직히 말하면 선생님이 전해주는 이야기보다 선생님의 목소리 자체가 저는 더 좋습니다. 이즈음은 선생님의 전성기입니다. 사방팔방 온갖 작품에서 선생님만 찾습니다. 배우는 늙지 않는다, 다만 완숙해진다는 말을 만천하에 입증하시며, 선생님은 뛰어다니십니다. 어느 날은 촬영장에서 선생님이 쓰러졌다는 말까지 들었을 정도니까요. 그 말을 전해들은 날 코끝이 찡했습니다. 노친네 몸 좀 살피지. 며칠 후 불안하게 전화한 제게 선생님은 웃으며 말씀하셨죠.

'나는 행복해, 희경 씨.'

누가 배우 나문희를 한마디로 답하라면, 저는 세상에서 가장 욕심 많은 배우라 말할 겁니다. 그리고, 또 누가 인간 나문희를 한마디로 답하라면 이렇게 말할 겁니다. 화면에 단 한

컷도 거짓이었던 적이 없었던 인간이라고요.

 늘 서민의 어머니로 살려면, 남들이 보지 않는 순간에도 잠
자리에서도 길거리에서도 부엌에서도 서민으로 살아야 한다
고, 핏속마저 살속마저도 거짓은 안 된다고, 그래서 늘 정말
낮게 낮게 모든 자릴 임하는 선생님을 저는 고작 흉내나 내며
따라갑니다.

 선생님께 아직 배울 게 천지입니다.
 너무 이르게 늙지 마십시오.
 그리고 선생님이 제게 주신 고무줄이 들어간
 오천 원짜리 몸뻬바지는
 여름에 글쓸 때 정말이지 좋습니다.
 십 년 넘게 입었더니, 고무줄이 삭았네요,
 다시 새 고무줄로 끼울 겁니다.
 몇 번 기우기도 했는데, 안 버릴 생각입니다.
 그걸 입고 있을 때 꼭 작가 같다는 생각이 들거든요.
 천번 만번 당부해도 모자랍니다.
 정말 건강하시고, 오래오래 사십시오.

친구들에 대한
몇 가지
편견들

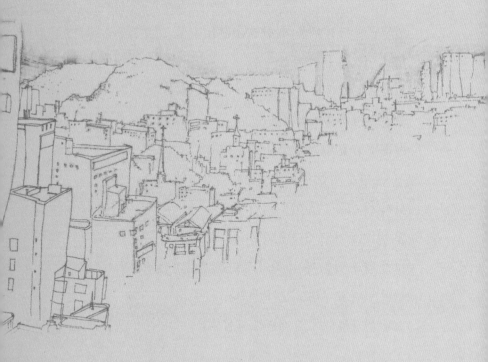

조카들이, 어린 친구들이, 가장 많이 물어오는 게 친구에게 관한 물음입니다. 사실 물음이라 하기엔 어법이 좀 그렇지요.

나는 친구가 없어.
나는 친구랑 사이가 안 좋아.
내 친구 누구는 너무 질투가 많아.
우리 주변 애들은 못되 처먹었어.
날 이해 못해.
사는 게 그렇지 않아, 뭐 다들 지 잇속 따라 사니까.
친구는 무슨… 적이나 아니면 다행이지.
지들끼리만 놀고.

저마다 이미 자기의 경험 속에서 나름 정의를 내리고 확신을 가지고 이야기합니다. 이 말을 들을 때 대부분 바쁜 나는 성의 없이 대답합니다.

그러게, 좀 잘하지.
준 만큼 받는 거야.
네가 잘했어봐라, 왜 친구가 없나.

내가 이 말을 하는 순간 애는 이미 등을 보입니다. 가뜩이나
맘 다친 아이에게 더 맘 다치는 소리만 하는 걸, 알아채기는
쉽지 않습니다. 몇 날이 지난 뒤에 아니면 몇 년이 지난 뒤에
나, 차라리 말을 말지, 그딴 말은 왜 했나 싶어지죠.

엊그제도 조카아이가 친구와 이즈음 사이가 별로 안 좋다는
말을 들었습니다. 어쩐 일인지, 그 말을 듣는 순간 '또 별일
아닌 걸로' 하는 생각보단 애 마음이 안 좋겠다는 생각이 먼저
듭니다. 맘도 짠해지고요. 그러며 생각했습니다. 친구에 대한
내 생각들을 차분히 정리해서 알려줘야겠다. 지금 말하면 아
이들이 들을 준비가 안 됐을 수도 있으니, 그냥 지금은 정리
해두고 나중에 지들이 맘이 날 때 내 글을 보면 혹여 도움이
될지도 모를 일 아닌가. 안 돼도 별 수 없고. 그래서 지금 정
리합니다. 정말, 어려서는 그렇게 생각했습니다.

친구는 소중한 것이고,
나보다 먼저 친구를 챙겨야 하며,
친구와의 의리를 지키는 것은 목숨만큼 중요하며,
나는 늘 친구의 편에 서야 하며,

지금 사랑하지 않는 자, 모두 유죄

주고도 바라지 않는 게 친구관계여야 하며,
친구가 외롭고 괴로울 땐 항상 옆에 있어야 하며…

그러나, 철이 들며 알아가는 것은 전혀 다릅니다.

그 누구도, 친구 아니라 부모와 형제도
나 자신만큼 소중할 순 없고,
목숨을 담보로, 재물을 담보로,
그 어떤 것을 담보로 의리를 요구하는
친구는 친구가 아니다.
늘 친구의 편에 선다는 것이 반드시 옳진 않다.
주고도 바라지 않기란 참으로 힘이 들다.
살다 보면 친구를 외롭고 괴롭게 버려둘 때가
허다하게 많다.
그럼에도 불구하고 친구가 되는 것이 친구다.

친구가 꼭 필요하냐는 질문에도 전과는 생각이 다릅니다.
전엔 반드시 친구는 필요하다 느꼈지만, 없으면 없는 대로 살
아갈 수도 있어야 한다는 생각이 드니까요. 친구하자, 친구하

자 하며 허덕이며 세상을 헤매느니, 없으면 없는 대로 혼자 놀 방법을 준비해야 한다 말하고 싶어집니다.

그리고 세상의 모든 친구에 대한 정의가 그 누군가를 향해서 하는 말이 아니라, 오직 자신에게 물어보는 질문임을 아는 것이 정말 중요하다는 것도 말해주고 싶습니다. 그렇게 살다 보면 어느 한순간, 친구가 좀 못해도 나도 못하니까 별로 서운함도 없을 거고, 내게 말 한마디 걸어주는 세상 모든 사람들이, 준 것도 없는데 따뜻한 빛을 주는 해님이, 바람 주는 바람이, 보든 말든 피어 있는 들꽃마저도 너무도 감사한 마음이 한순간이나마 일게 될 거란 것도요. 그때가 되어야만 비로소 세상이 살 만하단 걸 알게 될 거란 말도 함께요.

그들이 사는 세상

그와 그녀의 이야기

〈그들이 사는 세상〉 속에서
나눈 그 '지오'와
그녀 '준영'의 이야기입니다.

그의 한계

왜 그때 그 순간에 배신이란 단어가 떠올랐는지,
나중에도 이해가 되지 않지만,
나는 그때 아주 분명하게 배신이란 단어가 떠올랐다.

아이에서 어른이 된다는 건
자신이 배신당하고 상처받는 존재에서
배신을 하고 상처를 주는 존재인 걸 알아채는 것이다.

그렇다면 나는 어른인가?

사랑하는 사람과 헤어지는 이유는 저마다 가지가지다.
누군, 그게 자격지심의 문제이고,
초라함의 문제이고,
어쩔 수 없는 운명의 문제이고,
사랑이 모자라서 문제이고,
너무나 사랑해서 문제이고,

성격과 가치관의 문제라고 말하지만,
정작 그 어떤 것도 헤어지는데
결정적이고 적합한 이유들은 될 수 없다.
모두, 지금의 나처럼 각자의 한계들일 뿐.

그녀를 다시 만나면서 대체 내가 왜 예전에 얘랑 헤어졌을까,
이렇게 괜찮은 애를… 하면서 과거의 내가 미쳤었나 싶게,
나 자신이 이해가 되지 않았다.
그리고 말은 안했지만 천만번 다짐했다,
다신 얘랑 헤어지지 말아야지.

근데 또 다시 헤어지고 말았다. 내가 저질러놓고도 눈물이 자꾸 나려고 한다. 난 내가 생각해도 좀 미친 거 같다. 그래도 난 그녀를 다신 안 만날 생각이다. 그게 내 한계래도 이제 어쩔 수 없다.

화이트아웃

화이트아웃 현상에 대해서 들은 적이 있다.

눈이 너무 많이 내려서 모든 게 하얗게 보이고 원근감이 없어
지는 상태. 어디가 눈이고 어디가 하늘이고 어디가 세상인지
그 경계에 대한 분간이 불가능한 상태. 내가 가는 길이 길인
지 낭떠러지인지 모르는 상태.

우리는 가끔 이런 화이트 아웃 현상을 곳곳에서 만난다.

절대 예상치 못하는 단 한순간.

자신의 힘으로 피해갈 수 없는 그 순간, 현실인지 꿈인지 절
대 알 수 없는, 화이트아웃 현상이, 그에게도 나에게도 어느
한날 동시에 찾아왔다.

그렇게 화이트아웃을 인생에서 경험하게 될 때는, 다른 방법
이 없다. 잠시 모든 하던 행동을 멈춰야만 한다. 그것이 최선

의 방법이다. 그렇다면 지금 나도 이 울음을 멈춰야 한다. 근데 나는 멈출 수가 없다. 그가 틀렸다. 나는 괜찮지 않았다.

6년 전 그와 헤어질 때는 솔직히 이렇게 힘들지 않았다. 그때 그는 단지 날 설레게 하는 애인일 뿐이었다. 보고 싶고, 만지고 싶고, 그와 함께 웃고 싶고, 그런 걸 못하는 건 힘은 들어도 참을 수 있는 정도였다. 젊은 연인들의 이별이란 게 다 그런 거니까.

그런데 이번엔 미련하게도 나는 그에게 너무 많은 역할을 주었다. 그게 잘못이다. 그는 나의 애인이었고, 내 인생의 멘토였고, 내가 가야 할 길을 먼저 가는 선배였고, 우상이었고, 삶의 지표였다. 그리고 무엇보다, 지금 이 욕조에 떨어지는 물보다 더 따뜻했다. 이건 분명한 배신이다.

그때, 그와 헤어질 수밖에 없는 이유들, 그와 헤어진 게 너무도 다행인 몇 가지 이유들이 생각난 건 정말 고마운 일이었다. 그런데, 그와 헤어질 수밖에 없는 이유는 고작 두어 가진데, 그와 헤어져선 안 되는 이유들은 왜 이렇게 셀 수도 없이 무차별 폭격처럼 쏟아지는 건가.

이렇게 외로울 때 친구를 불러 도움을 받는 것조차 그에게서 배웠는데, 친구 앞에선 한없이 초라해지고, 작아져도 된다는 것도 그에게서 배웠는데, 날 이렇게 작고 약하게 만들어놓고, 그가 잔인하게 떠났다.

[그의 이야기]

여자를 떠나보내고, 지금 내게 일이 없었다면, 어땠을까? 생각만 해도 끔찍하다. 얼마나 다행인지, 이렇게 몰두할 수 있는 일이 있다는 게.

내가 애틋한 여자와 헤어진 사실을 어머니가 알면 젊어서 힘이 남아돌아 쓸데없는 짓한다 하시겠지.

근데 어떡해, 난 젊은데.

어느 날

말로만

글로만

입으로만

사랑하고, 이해하고, 아름답다고

그치는 나를 아프게

발견하다.

이제는 좀 행동해보자.

티일기 보다.

노희경

중독, 후유증 그리고 혼돈

[그녀의 이야기]

사전상의 의미로 중독이란, 우리의 몸이 음식물이나 약물의 독성에 의하여 기능 장애를 일으키는 일, 술이나 마약 따위를 지나치게 복용한 결과, 그것 없이는 견디지 못하는 병적 상태, 또는 어떤 사상이나 사물에 젖어버려 정상적으로 사물을 판단할 수 없는 상태를 말한다.

그렇다면 지금 나는 '정지오'란 사람에 의해,
정상적으로 사물을 판단할 수 없는
심각한 중독 상태를 겪고 있는 것일까?
두 사람이 만나 두 사람이 헤어지고 나면
모든 게 제로로 돌아가야 하는데,
실제는 그렇지가 않다.

애인과 헤어진 것도 가슴 아픈 일이지만, 그걸 모르고 아이처럼 나를 보고 좋아라 하는 이 어른들을 보는 것도 만만찮게 힘이 든다. 남도 아니고, 내 부모도 아니고, 그렇다고 이젠 사랑하는 애인의 부모도 아니고, 모든 게 끝나버린 애인의 부모는 정말 어떻게 대해야 하는 건지, 예상치 못한 이별의 후유증이 곳곳에서 난무한다.

우리가 알고 있는 카오스는 혼돈, 혼란, 무질서를 의미하지만, 인문학적 의미의 카오스 이론은 그 혼돈, 혼란, 무질서에도 일정한 규칙이 있는 걸 의미한다. 그렇다면 내 지금의 이런 말도 안 되는 행위를 한마디로 정의할 만한 규칙은 무엇이 있을까?

누구의 말처럼 관계연속중독증, 아님 이별이 낳은 후유증? 아니면 채인 여자의 복수? 그것도 아니면, 그냥 혼돈, 그 자체? 세상에서 제일 끔직한 일은 이미 마음이 변해버린 애인에게 구걸하는 일이다. 그렇다면 나는 이제 그렇게 살지 않겠다.

[그의 이야기]
슬프다는 말로 시작되는 시가 있다.

슬프다, 내가 사랑했던 자리마다 모두 폐허다.

완전히 망가지면서 완전히 망가뜨려놓고 가는 것,

그 징표 없이는 진실로 사랑했다 말할 수 없는 건지,

나에게 왔던 모든 사람들,

어딘가 몇 군데는 부서진 채 모두 떠났다.

참 좋은 시였는데, 다는 기억나지 않는다. 그렇게 첫 구절과 마지막 구절, 한 구절만 생각이 난다. 마지막은 이렇다.

아무도 사랑해본 적이 없다는 거,

언제 다시 올지 모를 이 세상을 지나가면서,

내 뼈아픈 후회는 바로 그거다,

그 누구를 위해 그 누구를,

한 번도 사랑하지 않았다는 거.[*]

내 자존심을 지킨답시고, 나는 그녀를 버렸는데, 그럼 지켜진 내 자존심은 지금 대체 어디에 있는 걸까?

[*] 황지우 〈뼈아픈 후회〉

4

그들이 외로울 때
우리는 무엇을 했나

사람들은
사랑을 하지 못할 때는 사랑하고 싶어서
사랑을 할 때는 그 사랑이 깨질까봐
늘 초조하고 불안하다.
그래서 지금 이 순간,
사랑하는 사람이 옆에 있어도
우린, 여전히 외롭다.
—
〈굿바이 솔로〉 중에서

안부를

묻다

건강들 하신지요?

행복들 하신지요?

사랑이 힘겹진 않으신지요?

부모와 형제가 미치게 버거워도

여전히 껴안고들 있으신지요?

잠자리에선 꿈 없이 주무시는지요?

비 오는 날엔 울음 없이들 비를 보시는지요?

맑은 날도 좋아들 하시는지요?

낙엽이나 고목들을 보면서도

기대들을 버리시진 않으시는지요?

여린 새순이 좋으신지요?

라일락이 아카시아와 같이 피고 지는 지금의 기후들이

안타까우신지요?

잎과 꽃이 만나지 않는다는 상사화를 혹여 보셨는지요?

정말 불행하진 않기를 원하는데, 그러신지요?

지금 그리운 것들이 모두 그대들 옆에 있으신지요?

저는 괜찮은데,

정말 그대들도 괜찮으신지요?

불량한

피자두의

맛

먹을 것도 없었다. 자존심도 없었다. 초등학교 저학년 시절, 나는 남루하고도 비루한 아이였다. 당시의 나는 늘 먹을거리에 껄떡댔다. 남이 뭐 먹을 때 넘겨다보는 게 가장 추접스럽다고 하는데, 그건 먹고 있는 작자의 입장이고 넘겨다보는 작자 입장에선 그것도 호사였다. 그때 나를 가장 유혹했던 불량식품은 딱딱하고 푸른 자두를 카바이드로 슬쩍 익혀 사카린과 핏빛 식용물감으로 물들인 일명 '피자두'였다.

피자두는 사카린이 주는 불량한 단맛도 맛이었지만, 와작하고 깨물면 입가에 핏빛 물감이 뚝뚝 흘러 당시 유행이던 텔레비전 프로그램 구미호를 무서워하던 친구들을 놀릴 수도 있는 장난감이기도 했다. 하지만 나는 늘 먹고 싶은 그것을 먹을 수 없었다. 어린 시절에 늘 먹고 싶은 걸 먹을 수 없는 것만큼 괴로운 일이 또 있을까. 청년기에 애인을 하루 이틀 못 보는 괴로움은 거기에 비할 바가 못 된다. 아무튼 나는 피자두가 너무 먹고 싶어 급기야 도둑질까지 감행하기에 이르렀다.

도둑질의 목적지는 단골가게 지연네. 어느 일요일 아침부터 낮까지 나는 그 집 앞에 앉아 땅바닥에 괜한 그림을 그리며

호시탐탐 기회를 노렸다. 그러고는 순둥이 아줌마가 잠시 변소에 간 사이 재빨리 한 알을 훔쳐 동네 후미진 골목으로 뛰었다. 그리고 죄의식도 없이, 아작아작 피자두를 씹었다. 어찌나 맛있던지. 나는 그것을 다 먹고는 '딱 한 알만, 더' 하는 욕심으로 다시 지연네 앞을 어슬렁거렸다. 근데 그때 아줌마가 대뜸 날 불렀다. 혹시나 싶어 놀라 고갤 들었는데, 아줌마가 '이거 먹어라' 하시며 피자두 한 알을 건네시는 게 아닌가. 나는 너무 좋아 고맙단 말 한마디 할 겨를도 없이 그것을 받아들고 냅다 이번엔 집으로 뛰었다.

그러고는 피자두를 먹으며 구미호를 흉내 낼 요량으로 거울 앞에 섰는데, 가관이었다. 훔쳐 먹은 피자두의 흔적이 입가는 물론 이 사이사이까지…. '아줌마가 내 도둑질을 알았구나.' 아침부터 낮까지 가게 주위를 맴돈 어린 도둑에게 아줌마는 매 대신 피자두를 주었구나 싶어 아팠다. 왜 나는 그 착한 아줌마의 피자두를 훔쳐 먹었나 싶어 내가 미웠다. 그래서 거울 속의 나를 보고 울면서 피자두를 먹었다. 그러고는 다시 그 집 물건을 훔치지 않았다. 지연네 아줌마, 그분은 이제 이

세상 분이 아닐 것이다. 아줌마에게 짧은 연서를 보낸다.

"아줌마 고맙습니다. 저한테 불량식품을 주셔서. 저는 아줌마네 불량식품을 사 먹고 훔쳐 먹고, 참으로 불량하게 자랐습니다. 불량하게 자라니 불량해서 외로운 많은 불량한 이들과 어울릴 수 있어서, 그들을 이해하기 쉬워 참으로 좋네요. 진정 고맙습니다."

아름다운 상상

_다시 生을 시작할 수 있다면
못 다한 효도부터 하리라

요즘 나는 이러저러한 이유로 서울을 떠나 용인에 거처를
두었다. 별장을 마련한 것도, 전원주택을 지어 온 것도 아니
다. 그저 얼마 전 새로 이사 간 종로의 집에 골치 아픈 문제가
생겨 그곳에서 글쓰기가 곤란해진 까닭에, 아는 어른 집에 방
한 칸을 빌려 기숙하는 정도다.

남들 같으면 제 집 두고 남의 집 방 한 칸에 기숙하는 게 말
할 수 없이 불편한 일일 수도 있겠으나, 유랑(?)이 몸에 밴 나
는 남의 집이 내 집인 양 편하다. 1986년 고향 같은 마포 ― 본
래 내 고향은 경남 함양이나, 그곳은 그저 부모님이 어느 날
조모를 뵙기 위해 찾아갔다가 불시에 나를 낳은 곳일 뿐, 내
유년의 기억이 머무르는 곳은 아니다. 마포는 부모님이 처음
집을 마련하고, 내 형제가 출가한 이 없이 오롯이 한 집에 모
여 살았던 유일한 곳으로 그리운 유년과 요란한 가족사를 간
직한 진정한 내 고향이다 ― 를 떠나 나는 무려 예닐곱 곳을
전전하며 살았다.

마포를 떠난 건 내 의지가 아닌 부모님의 선택이었고, 부모
님이 선택한 성남을 떠난 건 그곳에서 모친이 돌아가시자 마

음 달래기가 어려웠기 때문이다. 이후 불광1동에서 불광2동, 3동으로, 다시 홍제동으로, 그리고 다시 몇몇 곳으로 떠다닌 이유는 대개의 사람들이 그렇듯 해마다 오르는 집값 때문이었고, 덧붙여 하나의 이유가 더 있다면 '이번엔 어느 동네에서 살아볼까?' 그 길들여진 유랑병 때문이다.

스물이 넘어 성인이라는 훈장 아닌 훈장을 달고부터 나는 부모님의 언명을 수없이 거스르며 거의 매주 방방곡곡을 떠돌았다. 주머니에 단돈 몇 천 원만 있으면 삼박사일 집 밖을 떠도는 데 문제가 없었다. 자신하건대 노숙자가 아닌 이상, 집 밖을 떠도는 데 나만한 노하우를 가진 사람도 드물 것이다. 각설하고, 요즘 나는 용인에서 삶의 새로운 진리를 깨쳐가며 산다.

어른들과 있는 탓에 아침 여덟 시에 자리를 털고 일어나 한 수저라도 밥알을 뜨고(대개의 나는 새벽3, 4시에나 자고, 아침이라고 하기에 무색한 시간인 11시나 일어나, 점심을 먹었다) 작업을 시작해(새로이 시작하는 드라마) 8시간 이후면 마무리 짓고 밭으로 나간다. 이 밭은 현재 내가 거처하고 있는 집안의 어른 두 분이(나는 그분들을 어머니, 아버지라고 부른다. 나이를 먹다 보니, 나를 아니 낳아주셨다 하더라도 내게 정을 주는 분이면 모두 어머니, 아버지라 불러야 도리임을 알게 됐다) 동네를 어슬렁거리다가 맨땅으로 노는 곳을 개간해 만든 밭이다.

풍문에 의하면 이 땅은 몇 년 후 재개발이 돼 큰 병원이 들어선다고 한다. 하나, 어찌됐든 현재 그곳은 내가 아는 두 어른의 밭이요, 그 일대 아파트 주민들의 밭이다. 그곳엔 믿을 수 없을 만치 여러 작물이 자란다. 콩과 옥수수, 참깨와 들깨, 케일과 담배상추, 대추토마토와 방울토마토, 고추와 쑥갓, 열무와 고구마, 감자와 호박, 오이와 가지, 아욱과 근대….

나는 그곳에서 처음으로 밭의 김을 매고, 열매도 따보았다. 손톱에 풀물이 들고, 벌레에 헌혈하고, 그래도 나는 하루도 거르지 않고 밭에 나간다. 자연과 더불어 노는 재미 이외에 그곳에 정성을 다하는 여러 어른을 보기 위함이다. 그 어른들은 하나같이 자신을 위해 밭을 일구지 않는다. 이미 그들을 떠나 일가를 이룬 자식들을 위해 그들은 장대비 오는 우기에도 밭을 떠나지 못하고 맴맴 돈다.

짐작건대 자식들은 그 어른들의 그 마음과 노고를 백 분의 일도 알 수 없으리라. 약을 치지 않아 벌레 먹은 순수한 채소를 보고 "뭐한다고 이런 걸 가져다주느냐, 마트에 가면 싱싱하고 예쁜 채소가 얼마나 많은데" 그리 통박이나 주지 않으면 다행일 것이다.

나 역시 이곳에 오지 않았다면, 아니 십 년 전처럼 모친이 살아만 계셨더라도 그 어른들의 자식처럼 그리 말했을 것이다. 그러나 나는 지금 모친을 다시 이 자리로 모실 수 없는 곳으로 보냈고, 부친 역시 노쇠해 어느 날 일을 치를지 모를 지경에 있다. 그리고 서른 후반을 지나 마흔이라는 깊은 나이로 치닫고 있다.

상상한다. 지금 내게 모친이 있고, 부친이 건강해 매일같이 손잡고 밭을 드나들며 "토마토가 튼실하게 잘 자랐네" "어머니가 준 닭똥 거름이 좋았나 보네" "오늘 밤은 호박잎에 밥 먹을까" "호박잎은 많이는 건드리지 마라, 열매가 튼실치 못하게 된다" 등의 말을 나눌 수 있다면, 바랄 게 없겠다. 울 일도 없겠다.

지금 사랑하지 않는 자, 모두 유죄

글을 쓰는 와중에 내 마음에 또 다른 내가 묻는다.

"너 다시 정말 지난날로 돌아가고 싶으냐?"

"그거는 아니고!"

강하게 부정한다. 지금이 좋다. 불효했던 그 시간으로 돌아가고 싶지 않다. 매일 부표처럼 떠다니는 나를 기다리기 위해 동네 어귀 가로등에 기대 한숨지었을 어머니를 죄스러워 다시는 보고 싶지 않다.

다만, 단서가 붙는다면, 아름다운 상상이 가능하다면, 지금처럼 철들고 지금처럼 부모 소중한 걸 아는 마음으로, 바로 이 순간부터 생(生)을 다시 시작한다면, 물론…, OK다. 두 말할 나위 없이 두 손 들고 OK다.

〈슬픈 유혹〉을
끝내놓고

2년간의 기획, 2달간의 집필기간. 일곱 번의 대본 수정, 50번이 넘는 퇴고. 나는 지금껏 이렇게 힘들게 대본 작업을 해본 경험이 없다. 이 글을 쓰기 위해 왜 그렇게 긴 시간이 필요했을까. 내 모자란 머리 탓이었을까, 아니면 닫힌 마음 때문이었을까. 지금도 그 이유에 대해 생각한다.

이 작품이 잘됐느냐, 못됐느냐 방송이 된 지금에 와서 그것을 논하고 싶지 않다. 다만 이 작품을 만드는 내내 감독과 나는 정말 진지했다. 우리는 대본을 쓰는 시간보다, 촬영을 하는 시간보다 더 많은 시간을 이 작품의 존재 이유에 대해 고민했다. 우리가 이 사회의 굳은 편견을 조금이라도 흔들 수 있을까, 우리가 진정 사람이 사람을 사랑한다는 것에 대해 경건해하고 있나.

내가 존경하는 선생님께선 드라마가 세상을 조금 아름답게 만들 수 있다는 믿음 때문에 글을 쓰신다고 했다. 나 역시 그것이 드라마를 쓰는 이유다. 혹자는 이 드라마를 두고 역겹다고 한다. 나는 그 사람에게 미안하다. 하지만, 나는 이 드라마를 쓴 것에 대해 후회하진 않는다. 이 세상 사람들 어느 누구도 나와 다르다고 해서, 소수라고 해서, 소외됐다고 해서 손가락질 받을 이유는 없다.

나는 내 아이를 낳는다면 그 아이에게 이렇게 가르칠 것이다.

언제나 소수의 편에 서라,
너와 다른 사람을 인정해라,
소외된 사람에게 등 돌리지 마라,
그리고 혹 네가 소수에 끼는 사람이 되더라도,
소외받는 사람이 되더라도 좌절하지 마라.

"넌 왜 동성애자가 됐냐?"

"당신은 왜 이성애자가 됐습니까?
당신이 대답하지 못하는 것처럼,
나 또한 대답할 수 없는 질문입니다.
내 뜻이 아니었습니다.
지금 당신이 늙어가고,
회사에서 밀려나는 게 당신 뜻이 아니었던 것처럼…"

"여잘 사랑한 경험이 있나?"

"그 전에도 남자라서 사랑한 경험은 없는 것 같습니다.

진우란 남잘 만나고, 경민이란 남잘 만났지만,

그 사람들이 남자라서 만난 건 아니었습니다.

당신은 당신 부인을 여자라서 만났습니까?

나는 남자를 사랑하는 게 아닙니다.

내가 사랑하는 사람이 남자였을 뿐입니다."

"우리 다신 보지 말자,

회사에서 부딪치면 모른 척하자.

너를 몰랐던 시간으로 돌아가고 싶다.

나는 남자를 사랑하는 법을 모른다."

"당신은 사람을 사랑하는 법을 모르는 건 아닙니까?"

― 〈슬픈 유혹〉 중에서

미안한
아버지에게

늘 제 글 속에서 악역을 맡아오신 아버지에게 미안한 마음이 있었습니다. 그 미안한 마음이 이 편지 한 장으로 대신할 순 없겠지만, 안 쓰면 죄책감이 좀 더 깊어질까 두려워 씁니다. 이번에도 역시 아버지보다는 저를 위해서네요.

엊그제는 아버지가 돌아가신 지 2주기가 되는 날이었습니다. 타국에 있는 형제들을 제외하고, 모두 모여 즐거운 한때를 가졌습니다. 만약 오셨다 가셨다면 그 모양새를 보고 참 좋아라 하셨을 텐데, 잠시 그 생각에 마음이 숙연해지기도 했습니다. 이 세상에서 제가 가장 가혹했던 사람은, 아버지 당신이었습니다. 어려서는 가혹한 제 행위에 엄청나게 타당한 이유들이 있다고 믿었습니다.

바람을 손에 꼽을 수 없을 만큼 많이 피웠다. 어려선 얼굴보기가 힘들게 다른 집에서 다른 여자와 살림을 차렸다. 내가 아는 여자만 해도 다섯 손가락이 넘고, 얼굴을 본 여자도 서넛이었다. 그 여자 중 어느 여잔 우리 집에 버젓이 찾아와, 엄마 옆에서 자고 간 날도 있다. 그 여자 중 누구는 형제들과 머리채를 잡고 싸웠다. 한 번도 돈을 많이 벌어오신 적이 없다.

그렇다고, 적은 돈이라도 다달이 준 적도 내 기억엔 없다. 부지런한 엄마에 비해, 너무도 게으르다(욕실이 없던 예전엔, 겨울이면 방에서 왕처럼 세수를 하고, 면도를 하셨다).

단 한 번도 나를 사랑한다고 말한 적이 없다. 엄마에게도 자식에게도 미안하다고 고백한 적이 없다(엄마에게 했었는지는 모르겠다. 짐작건대 안했을 것으로 단정할 근거가 많다). 얼굴은 몰라도 다른 여자에게서 자식을 봤다. 다른 여자의 자식 때문에 우는 모습을 보였다. 생색을 잘 낸다. 허세와 허풍이 세다. 노씨인 게 싫다. 성씨 개명을 하고 싶다.

저는 정말 아버지 당신이 미웠습니다. 그래서, 집에서 즐거이 텔레비전을 보다가도 당신이 들어오면 갑자기 싸늘해져선 벌떡 일어나 방 안을 나가며 문짝이 떨어져 나가게 쾅 소리를 냈었습니다. 밥상머리에서 고개 들어 아버지 얼굴을 본 적도 없었지요. 또 말마다 가시를 달아, 당신 속을 긁는 건 얼마나 신이 났었는지. 제가 힘이 세지고, 당신이 늙어가면 갈수록 강도는 더욱 세졌습니다.

친구 아버지 누구가 바람을 폈는데,

개 엄마가 이혼을 했대, 잘한 짓이지.

남자가 능력이 없으면, 그게 남자야.

담배 피울 땐 창문을 열라고요!

밥 먹을 때 쩝쩝거리는 소리 좀 내지 말라고요!

아버지가 물은 떠다 드셔!

허풍 좀 떨지 마요!

내 성격이 이상하다고요? 아버지 닮아 그렇지!

그냥 대충 드셔요, 무슨 반찬투정을…!

죄의식도 없었고, 후회도 없었습니다. 당신이 폐암에 걸려,
큰오빠의 집에서 제 집으로 가방 두어 개를 들고 오시기 전까
진. 오빠는 타국으로 돈 벌러 가고, 형제는 많아도 모두가 형
편이 여의치 않은 관계로 병든 당신을 기꺼이 맡을 자식은 없
었습니다. 말로는 모두 다 내가 하마 했지만, 같은 자식의 입
장에서 솔직히 당신은 짐스러운 존재란 걸 저는 알고 있었습
니다. 그래서 마지못해 제가 모신다 했지요. 그때 제 마음속
엔 의무감보단, 그래 붙어보자는 마음이 더욱 컸더랬습니다.
우리 두 사람이 화해를 하든, 처절한 복수극을 하든, 어쨌든
저는 당신과 끝장을 보고 싶었습니다. 쓰는 드라마마다 내내

가족의 이해를, 사랑을 말하는 제게 당신은 당신의 종양처럼 명치끝에서 두툼하게 자리하고 있었으니까요.

당신을 집으로 모시고 온 날부터 저는 '아버지 감사합니다, 있는 그대로 감사합니다'라는 기도문을 가지고 늘 하던 백팔배를 무려 세 배씩 늘려가며 절을 했습니다. 당신을 향해 하는 참회가 백팔배로는 어림없다 여겼습니다. 그러나 한 배 한 배 할 때마다 참회는커녕, 너무나 당신을 미워하는 게 합당한 이유들만 떠올랐습니다. 하루는 절을 할 때 사용하는 염주를 내팽개치며, 마저 미워하고 말거야 소리치며 운 날도 있었더랬습니다. 이 글을 당신이 읽는다면 얼마나 서운할까요. 그래도 너무 저를 나무라진 말아주십시오. 그래도 다시 염주를 주워들고 당신을 이해하기 전엔 그 어디로도 당신을 보내지 않겠다고, 머리를 숙였더랬으니까요.

하기 싫은 숙제 같은, 당신과 함께한 3년 반 세월이었습니다. 텃밭에 나가 같이 상추를 심고, 고추를 심고, 장미를 심고, 차를 마셨지요. 기꺼웠던 적은 거의 없었습니다. 어차피 선택한 것 그냥 해보자는 맘뿐이었습니다. 그런데 어느 날,

지금 사랑하지 않는 자, 모두 유죄

아마도 오가피나무를 한 그루 심던 날이었을 겁니다. 한여름이었고, 땀을 흘린 당신과 저는 작은 그늘에서 차를 한 잔했습니다. 그때 불쑥 제가 물었습니다. 사실 맘속으로 천번 만번 연습한 말이었죠.

'옛날에 내가 본 여자, 왜 아부지가 바람 핀, 얼굴이 좀 얽은 아줌마… 왜 엄마보다, 그 여자가 좋았어?'
당신이 웃으며 말했습니다.
'니 엄마가 젤로 좋았어.'
제가 말했습니다.
'그렇게 엄마가 좋은데, 그 여잘 왜 만나?'

당신은 말없이 웃으며 일어나 다시 텃밭으로 가서 마저 나무를 심고, 풀을 뽑았습니다. 참 초라하게 굽은 등으로. 그때 처음으로 그런 생각이 들었습니다. 내가 저렇게 초라하게 늙을 대로 늙어버린 사람에게 지금 무슨 짓을 하는가.

다른 날 같으면 웬 센치한 감정하고 일어섰을 건데, 그때는 웬일인지 그러지 않았습니다. 우리에게 남은 몇 달이 처음으로 적다고 느낀 첫 순간이기도 했습니다. 그날 당신의 말은 당신의 타고난 유머감각에 비하면 뭐 그다지 별다를 것도 없었는데, 생각해보니 저는 무지도 당신과 화해를 하고 싶었나 봅니다. 맥없이 엄마를 젤로 사랑했단 그 한마디에 좌초된 걸 보면.

이후, 저는 종종 당신의 손을 잡고 얼굴을 만지고 했습니다. 삶을 물어가는 스승에게 '아버지와 화해하고 싶어요, 어찌하면 좋을까요' 했을 때 스승께선 암말 말고 손이나 잡아드려라 하셨습니다. 참 민망했습니다. 아버지 손잡는 게 민망지경인 딸. 어이없었지요. 그래도 했습니다. 그렇게 하루 30분 당신과의 어색한 손잡기가 시작됐습니다. 그리고 나눈 우리의 대화를 여기에 어찌 다 쓸 수 있을까요. 사십 평생 들어보지 못한 말을 들었더랬습니다.

어느 자식 하나 안 사랑한 자식이 없다.
다시 태어나면 니들한테 좋은 애비이고 싶다.
니 엄마를 다시 만나면 살자 하고 싶은데,
그 말을 들어줄까 모르겠다.

지금 사랑하지 않는 자, 모두 유죄

원 없이 세상 살았다,
내가 나중에 누워 있게 된다면 호흡기는 달지 마라.
니가 참 안됐다.

마치 오래 준비한 듯, 당신은 너무도 따뜻하게 말씀하셨습니다. 어쩌면 당신은 긴 세월을 말로는 못해도 눈빛으로 우리 자식들에게 그 말씀을 하셨는지도 모릅니다. 그렇지 않았다면, 떨지도 않고, 차분하게 그 어색한 고백들을 매일같이 할 수는 없었을 겁니다. 어느 날은 당신의 고백이 너무나 정중해서, 내가 '고만 해, 낯간지러' 한 날도 있었으니까요. 그렇게 몇 달을 보내고 어느 날 절을 하는데, 문득 젊은 날의 당신이 생각났습니다.

나이 마흔의 남자.
자식은 일곱.
마누라는 유머도 모르고, 예쁘지도 않은, 매력 없는 촌년.
되는 일은 하나도 없는 중년의 나이.

살고 싶지 않았겠다. 눈물이 왈칵 났습니다.

밖에 나가면 예쁜 여자들이 득시글하고,

타고난 그의 유머에 반해 살갑게 사랑한다 하는데,

몇 해는 몰라도 영원히는 살지 않고

다시 재미없는 마누라에게로

복수심을 키우는 자식에게로 온 그 남자의 맘속엔,

무엇이 있었는지.

정말 내가 이는가.

삶은 정말 드라마보다 드라마틱해서, 그해 겨울 우리가 완전히 화해해서 이젠 서로가 떨어지고 싶지 않을 때, 당신은 임종을 맞았습니다. 당신의 숨이 거칠어지던 그날은, 제가 처음으로 아버지를 소재로 쓴 〈기적〉이란 드라마가 나가던 날이었고, 숨이 멎은 순간은 첫 회가 끝나던 시간이었습니다. 드라마로 쓴다면 너무 작위적이라 믿지도 않을 일이지요. 마를 대로 말라 제 품에 안긴 당신이 '너무 미안하다'고 말하고, 저는 '아버지 맘 내가 다 아니까, 이제 편히 가셔도 된다'고 했습니다. 눈이 왔고, 어머니 임종 때처럼 따뜻한 날이었습니다. 임종을 앞두고 한 서너 번 저도 아버질 참 많이 사랑한다고 말했던 게 지금 너무 위안이 됩니다.

엊그제 제게로 메일이 하나 왔습니다. 젊은 친구인데 아버지와 화해가 안 된다고 했습니다. 어찌해야 좋냐 물어왔습니다. 너무 서두르지 말라고 했습니다. 저 자신도 마흔이 넘어 이룬 화해인데, 쉽지 않을 거라 했습니다. 그 친구에게 한마디 더 보태지 못한 게 걸리네요. 이곳에 하면 혹여 볼까 싶어 씁니다.

힘내세요.

참, 그런데요, 아버지.
가신 그곳에선 어머니를 어떻게 만나셨나요?
만나셔도 좋겠고, 안 만나셔도 좋겠다 생각이 듭니다.
두 분이 따로이 다른 분들과 사는 모습을 상상해도, 또다시

지금 사랑하지 않는 자, 모두 유죄

두 분이 만나 사시는 모습을 상상해도, 다 아름답네요. 두 분은 참 좋은 분들입니다. 이즈음 자식들은 모이기만 하면, 그 소립니다. 솔직히 가끔 두 분의 흉을 조금 보기도 하지만, 그리워 그런 거니 너무 속상해는 마십시오.

참 그리고, 두 분이 낳으신 저희 형제들은 꼭 남들만큼 힘들고 꼭 남들만큼 재미나게 잘 삽니다. 그러니, 걱정 마십시오.

다시
가슴이
먹먹해집니다

내 딸을 백원에 팝니다

　　　　- 장진성

그는 초췌했다
-내 딸을 백 원에 팝니다
그 종이를 목에 건 채
어린 딸 옆에 세운 채
시장에 서 있던 그 여인은

그는 벙어리였다
팔리는 딸애와
팔고 있는 모성(母性)을 보며
사람들이 던지는 저주에도
땅바닥만 내려보던 그 여인은

그는 눈물도 없었다
제 엄마가 죽을병에 걸렸다고
고함치며 울음 터치며
딸애가 치마폭에 안길 때도

입술만 파르르 떨고 있던 그 여인은

그는 감사할 줄도 몰랐다
당신 딸이 아니라
모성애를 산다며
한 군인이 백 원을 쥐어 주자
그 돈 들고 어디론가 뛰어가던 그 여인은

그는 어머니였다
딸을 판 백 원으로
밀가루 빵 사 들고 어둥지둥 달려와
이별하는 딸애의 입술에 넣어주며
ㅡ용서해라! 통곡하던 그 여인은

오늘 이 시 하나 때문에
잠도 들지 못하고
드라마도 쓰지 못하고
울지도 못하고
웃지도 못하고

지금 사랑하지 않는 자, 모두 유죄

먹은 밥이 알알이 얹히면서
가슴만 먹먹해 하루가 갑니다.
북한의 가난은 어제 오늘 일이 아니지 새로울 것도 없다,
먹먹한 가슴을 감상이라 꾸짖고 글이나 쓰자,
나는 작가다 하고 컴퓨터 앞에 앉는데,
몇 시간을 앉아 있어도 씬 하나 온전히 쓰질 못합니다.

굶어 죽는 절대 가난이 어제 오늘 일이 아니면, 외면해도 되
는가? 사람이 하루 4천 5백 명씩 죽어가는데 새로울 것 없다
고 뒤도는, 이 냉정한 마음은 대체 나의 어느 곳에 숨어서 또
아리를 틀고 있다, 이리 민망하고 대책 없이 튀어나오나?
감상이란 지나친 감정 상태를 말하는 것인데, 사람이 죽어
가는데 맘 아픈 것은 지나친 게 아니라 너무도 마땅한 것 아
닌가?
나는 작가다, 그런데, 작가란 사람은 사람이 죽든 말든 오직
제 밥벌이 글쓰기에 몰두하는 그런 사람인가?

내가 한 질문에 내가 답을 찾을 수 없어 그만 쓰던 드라마를
접고, 다시 가슴이 먹먹해집니다.

지겨운 사랑타령이라 할 만큼 사랑이 넘쳐나는 세상에서,
누구는 끼니 한 그릇이 없는 이 세상은,
세상 생명을 키우는 찬란한 오월 하늘이,
누구는 굶주림에 멍든 시퍼런 가슴 같기 만한 이 세상은,
나눠줄 것 없다,
나 살기도 급급하다 하며,
편한 자리에서 잠자는, 자가용을 타는 나와 다름없습니다.

글은 글이고 드라만 드라마고 사는 건 사는 거지,
말은 말이고 현실은 그렇지가 않지,
지 나라 사람은 지 나라 정부가 챙겨야지, 왜 우리한테,
지 애는 지가 키워야지, 왜 남한테,
지들이 잘했어봐라, 우리가 이러나,
죽는 것도 지들이 선택한 것이지,

말을 하면 할수록, 이 말들은,
끼니를 구하는 사람들에게,
백 원에 딸을 파는 그 여인에게,
에미가 용서해라 통곡하며 건내준 밀가루 빵을

내던지지 못하고 먹는 그 여자애에게,
할 말은 아니다 싶습니다.

다시 처음 글을 쓰고자 했던 초심으로 돌아가고 싶습니다.
세상의 모든 아름다운 드라마처럼 살고 싶습니다.
내 오랜 친구들이여,
내 안의 살벌함을
내 안의 이기심을
내 안의 모자람을
내 안의 이중성을
부디 이해해주십시오.
그러나, 이해했다고 해서 멈추라고는 말아주십시오.
한발 더 가라 해주십시오, 한 번 더 행동하라 해주십시오.
남에게 하던 말을 자신에게 돌리라 해주십시오.

이 글을 쓰다 보니, 밤이 새벽이 되고,
새벽이 낮이 됐습니다. 건강하십시오.

그들이 사는 세상

그 와 그녀의 이야기

〈그들이 사는 세상〉 속에서
나눈 그 '지오'와
그녀 '준영'의 이야기입니다.

절대로 길들여지지 않는 몇 가지

[그의 이야기]

나는 한때 처음엔 도저히 할 수 없을 것 같은 세상의 어떤 두려운 일도 한 번 두 번 계속 반복하다 보면, 그 어떤 것이든, 반드시 길들여지고, 익숙해지고, 만만해진다고 믿었다. 그렇게 생각할 때만 해도 인생 무서울 것이 없었다. 그런데, 지금은 절대로 시간이 가도 길들여지지 않는 것이 있다는 것을 안다.

오래된 애인의 배신이 그렇고,
백번 천번 봐도 초라한 부모님의 뒷모습이 그렇고,
나 아닌 다른 남자와 웃는 그녀의 모습이 그렇다.
절대로 길들여지지 않는,
그래서 너무나도 낯선 이 순간들을,
우리는 어떻게 대처해야 하는 걸까?

그리고 대체 다른 사람들은 사랑했던 사람들과 어떻게 헤어지는 걸까? 이번이 처음 이별이 아닌데, 왜 이렇게 매순간이 처음처럼 당황스러운 건지. 모든 사랑이 첫 사랑인 것처럼 모든 이별도 첫이별처럼 낯설고 당황스럽고, 어떻게 해야 할지를 모르겠다. 나만 이런 건가? 그녀는 너무나도 괜찮아 보인다.

그런데 정말 길들여지지 않는 건 바로 이런 거다.
뻔히 그녀의 맘을 알면서도 하나도 모르는 척,
이렇게 끝까지 그녀의 속을 뒤집는,
뒤틀린 나 자신을 보는 것.

사랑을 하면서 알게 되는 내 이런 뒤틀린 모습들은 정말이지 길들여지지 않는다. 그만하자고, 내가 잘못했다고, 다시 만나자고, 첨엔 알았는데 이젠 나도 우리가 왜 헤어졌는지 이유를 모르겠다고, 안고 싶다고 사랑한다고 말하고 싶은데, 왜 나는 자꾸 이상한 말만 하는 건지.

통속, 신파, 유치찬란

[그녀의 이야기]
나는 정말 드라마에서는 물론 인생도,
이렇게 살고 싶진 않았다.

이렇게 통속적으로, 이렇게 유치찬란하게 다른 남자를 이용해, 싸구려 질투심을 일으켜 사랑을 확인하는 짓은 정말이지 꿈에도 하기 싫었다. 게다가, 이렇게 신파적이기까지는 정말 정말이지 싫었다. 정말 선배들 말처럼 어쩌면 하늘 아래 별다른 드라마도, 별다른 사랑도 없는 것일까? 드라마와 삶도 어쩌면 정말 다 별것 아닌데, 다만 나는 아직 너무 어려 그걸 모르고 있는 것뿐일까?

정말 그렇게 믿고 싶지 않은데, 냉정한 현실 앞에서,
사랑이란 건 차라리 철없는 유치찬란임을,
가십이 필요한 사람들 앞에서 이해를 바라는 건
더더욱 구차한 신파가 되는 것을,
세련되고, 쿨하고, 멋진 인생은 드라마에서나 가능할지도 모른다는 것조차도, 우린 이제 인정해야만 하는지도 모르겠다. 그런데 왜 이렇게 불편한 건지. 아직도 너무 어린 나는, 나도 모르게 마음 어느 한 쪽에서 여전히 드라마처럼 인생의 반전을, 그와 나의 반전을 꿈꾸고 있는 것일까?

지금 이 순간 어떤 말을 해야 상투적이고, 통속적이지 않을까 생각해본다. 눈은 어떠냐고? 정말 괜찮은 거냐고, 우리가 오늘 이렇게 또다시 잠자리를 하게 된 게 우리 둘 사이에 어떤 의미가 있는 거냐고, 다시 아침이 되고, 서로가 반드시 해야 할 말을 해야 할 때, 전처럼 또다시 쎄하게 날 버리고 가버릴 거냐고, 내가 그렇게 만만해 보이냐고 묻고 싶었다. 그런데, 어떤 말을 해도 지금은 다 유치할 거 같아, 하지 않았다.

서우선배 말처럼 인생이 경박한 거라면, 윤영선배 말처럼 그런 세상도 결국 우리가 사는 세상이라면, 이젠 나도 어쩔 수 없이 인정해야 할 거 같다.
헤어짐과 이별을 반복하며,
그와 나의 관계도 이미 통속해질 대로 통속해지고,
유치할 대로 유치해져버렸다는 것을.

좀 더 멋지고, 세련된 반전을 기대하며,

끊임없이 머릿속으로 어떤 말을 할까

말을 고르고 있는 이 순간이

어쩌면 더욱 진실되지 못하다는 것을.

그렇다면 남은 건,

통속적이고 유치한 대사라도

하고 싶은 말을 하면 되는 건가?

연인들의 화해란 게 이렇게 싱거울 수 있다니, 이젠 다시 헤어지지 말자는 맹세, 참으로 그리웠다는 고백, 너만을 사랑한다는 다짐도 없이, 이렇게 시시하게 무너져버릴 수 있다니, 그때 알았다, 예정된 통속이 유치가 신파가 때론 절대적으로 필요한 순간도 있다는 걸.

해피엔딩의 역설

[그의 이야기]

나는 결코 인생이 만만하지 않은 것인 줄 진작에 알고 있었다. 행복과 불행, 화해와 갈등, 원망과 그리움, 상처와 치유, 이상과 현실, 시작과 끝, 그런 모든 반어적인 것들이 결코 정리되지 않고, 결국엔 한 몸으로 뒤엉켜 어지럽게 돌아가는 게 인생이란 것쯤은, 나는 정말이지 진작에 알고 있었다. 아니, 안다고 착각했다. 어떻게 그 순간들을 견뎠는데, 이제 이 정도쯤이면, 이제 인생이란 놈도 한 번쯤은 잠잠해져 주겠지, 또다시 무슨 일은 없겠지, 나는 그렇게 섣부른 기대를 했나 보다. 이런 순간에, 또다시 한없이 막막해지는 걸 보면.

[그녀의 이야기]

나는 그날 처음으로 드라마를 만들려면 드라마처럼 살라는 그의 말이 가슴에 사무쳤다. 그래, 못할 것도 없지. 끝날 것 같은 인생에도 드라마처럼 반전이란 건 있는 법이니까. 그날 그 순간 그 생각이 든 건 얼마나 다행인가.

지금 사랑하지 않는 자, 모두 유죄

언젠가 그가 했던 말이 생각난다. 모든 드라마의 모든 엔딩
은, 해피엔딩밖엔 없다고. 어차피 비극이 판치는 세상, 어차
피 아플 대로 아픈 인생, 구질스런 청춘, 그게 삶의 본질인 줄
은 이미 다 아는데, 드라마에서 그걸 왜 굳이 표현하겠느냐,
희망이 아니면 그 어떤 것도 말할 가치가 없다, 드라마를 하
는 사람이라면 세상이 말하는 모든 비극이 희망을 꿈꾸는 역
설인 줄을 알아야 한다고, 그는 말했었다.

나는 이제 그에게 묻고 싶어진다, 그런 너는 지금 어떠냐고.
희망을 믿느냐고.

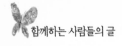

노희경 작품을 하고 있으면 사람들이 예쁘다고 하고
그녀의 대사는 내 가슴속에서 쉽게 빠져나가지 않습니다.
몇 년에 한 번씩 보면 무척 반갑고 헤어질 때
웃는 얼굴은 짠합니다.

—나문희

노희경은 내게 처음 작부 역할을 맡긴 작가다.

〈내가 사는 이유〉의 손언니, 우린 그래서 처음 만났고

처음 하는 작부 역할이라 열심히는 했으나

자신은 없었다, 언제나처럼.

그런 날 잘한다고 많이 칭찬해주었다, 넘치지 않아서.

노희경 대본에서 처음 본 단어는 '건조하게' 라는 말이다.

지문에 그리 써 있었다. 드라이하게라는 말을 노희경은

그렇게 썼다. 다른 작가들은 내가 너무 넘치지 않는다고

싫다고 했는데 노희경은 그런 날 좋아해줬고

우린 서로 좋아하게 됐고

서로 상처까지 주는 사이가 됐다.

노희경이 시청률을 못 올리는 대본을 쓰면 내가 하는 말,

"얘 좀 서비스 정신을 갖고 친절하게 쉽게 써라."

노희경 왈, "그래도 밥 먹고 살아" 하면서

늘 새로운 시도를 한다.

아주 쪼끄만 애가 세상에 의연하게 도전하는 걸 보면

그 무모함이 늙은 나는 신통하고 예쁘다.

그래서 난 노희경이 좋다.

―윤여정

〈거짓말〉에서 〈그들이 사는 세상〉까지,
참 많이 다투고, 미워하고, 이해하고, 위로하며
긴 세월을 함께 왔습니다.
노희경의 글 속에서 노희경이 성숙해가는 걸 보고,
또 내가 성숙해가는 걸 봅니다.

　　　　　　　　　　　　　　　　　　　—배종옥

때로는 막내 동생 같고 누이 같고 친구인
소중한 동료 노희경에게
진심어린 사랑과 위로를 받으며 촬영하는 저는
참 행복합니다.
노희경의 글을 읽는 사람들이
저처럼 행복했으면 좋겠습니다.

　　　　　　　　　　　　　　　　　　　—표민수

20대, 중요한 일상처럼 느껴지는 '사랑' 뿐 아니라
지금까지의 내 '인생'을 되돌아보게 하는 글입니다.
이 세상에 일어나는 일들,
내가 하는 말이나 행동들이
긍정이나 부정으로 구별되는 것이 아니라,
나이 혹은 상황에 따라 품고 있는 의미가 달랐음을,
한 번 더 깊은 생각에 빠지게 만듭니다.

―송혜교

지난 몇 달간 노희경 작가님의 대본을 읽을 수 있고
또 연기할 수 있어서 행복했습니다.
연기하는 동안 내 연기가 혹시 대본에
누가 되진 않을까 걱정될 만큼 아름다운 글이었습니다.
더 많은 사람들이 이 글을 통해 상처가 치유되고,
많이 사랑할 수 있었으면 좋겠습니다.

―현 빈

JTS와 예쁜 세상을 알게 해 주신 노희경 작가님.
이른 아침, 잠을 깨워주던 할아버지, 할머니의 기도소리로
하루를 시작하던 우리가족 모두를 울고 웃게 만드는
작가님의 글이 내 손에 꼭 쥘 수 있는 책으로 나오다니,
고맙습니다.

　　　　　　　　　　　　　　　　　　　　　　　　—한지민

긴 터널을, 이쪽에서 걸어갑니다.
심장박동처럼 울리는 발소리를 들으며,
긴 터널 끝으로 다가가는 설레임과 같이…
노희경 작가님의 책을 만날 수 있어 행복합니다.

　　　　　　　　　　　　　　　　　　　　　　　　—채정안